O CÓDIGO DE Camões

BETO JUNQUEYRA

ilustrações

BRUNO FERRAZ

ESTRELA
Cultural
FAZENDO HISTÓRIA

GRUPO ESTRELA
Presidente: Carlos Tilkian
Diretor de marketing: Aires Fernandes
Diretor de operações: José Gomes

EDITORA ESTRELA CULTURAL
Publisher: Beto Junqueyra
Editorial: Célia Hirsch
Coordenadora editorial: Ana Luíza Bassanetto
Ilustrações: Bruno Ferraz
Projeto gráfico: Estúdio Versalete
(Christiane Mello, Fernanda Morais e Karina Lopes)
Revisão técnica: Felipe Guimarães
Revisão de texto: Luiz Gustavo Micheletti Bazana
Mapas: iStock by Getty Images

Dados Internacionais de Catalogação na Publicação (CIP)
(Câmara Brasileira do Livro, SP, Brasil)

Junqueyra, Beto
O código de Camões / Beto Junqueyra ; ilustrações Bruno Ferraz. -- 3. ed. -- Itapira, SP : Estrela Cultural, 2020.

ISBN 978-85-45559-97-9

1. Ficção - Literatura juvenil I. Ferraz, Bruno. II. Título.

20-38298 CDD-028.5

Índices para catálogo sistemático:
1. Ficção : Literatura juvenil 028.5
MARIA ALICE FERREIRA - BIBLIOTECÁRIA - CRB-8/7964

3ª edição – Itapira, SP – 2020 – IMPRESSO NO BRASIL

Cultural

Rua Roupen Tilkian, 375
13986-000 – Itapira – SP
CNPJ: 29.341.467/0001-87
estrelacultural.com.br
estrelacultural@estrela.com.br

CENTRO ESTRELA DE ATENDIMENTO AO CONSUMIDOR
www.estrela.com.br

Aos meus filhos,
Felipe, Bruno, Mônica,
Miguel e João Pedro;

ao Professor Alceu Taffari,
que, no passado distante
e no presente, deu ânimo
decisivo para minha carreira
de escritor;

aos mestres e colegas
de escola que a vida
levou, transformados em
personagens desta história,

a minha eterna homenagem.

Apresentação

O código de Camões é um romance de aventura e ficção científica, inspirado na obra *A volta ao mundo em 80 dias*, do escritor francês Jules Verne, e no romance *O código Da Vinci*, do autor norte-americano Dan Brown. É também uma releitura do original *Volta ao mundo falando português*, publicado em 2003, pelo próprio autor, Beto Junqueyra. O enredo retrata uma aventura ao redor do mundo em busca de um valioso tesouro que o poeta Luís Vaz de Camões teria deixado em terras do antigo Império Português no século XVI. Duas escolas apresentam-se para, em clima de gincana (chamada de *A Volta ao Mundo*), encontrar o tesouro, decifrando mensagens deixadas por ordem do poeta lusitano em dez terras onde se fala ou se falava a língua portuguesa. Aliás, essa é a grande questão que propõe a disputa: o português ainda estaria vivo e seria suficiente para os grupos se comunicarem e dar uma volta ao mundo? Ou não? O liceu do grupo de adolescentes Os Natos acredita que o português ainda está vivo nos quatro cantos do mundo, contrapondo a instituição do ambicioso megaempresário Jack Stress, acompanhado por seus Stress Boys, e que estava por lançar o seu stressês, uma língua carregada de abreviaturas e palavras em inglês. Quem realizasse essa volta ao mundo e encontrasse a misteriosa arca utilizando o seu idioma, português ou stressês, provaria a força da sua língua. As pistas encontradas em cada passagem estão geralmente codificadas nos versos do clássico *Os lusíadas*, de autoria do próprio Camões. Decifrar essas pistas é um dos desafios enfrentados pelos dois grupos, sendo que o leitor, que entra na história com o nome de Agente E, passa a fazer parte dos Natos. Esse leitor também leva consigo, simbolicamente, o portulábio, um objeto criado e deixado por Camões e que teria efeitos mágicos, ajudando a encontrar as mensagens em código, para então serem decifradas.

A história de Beto Junqueyra, com ilustrações de Bruno Ferraz, começa com uma bombástica e aparentemente maluca declaração na TV do Timor-Leste feita por uma professora de português e que desmoraliza a nossa língua. Ao longo das páginas, o jovem leitor sentir-se-á envolvido por muitos desafios e mistérios, mas nem imagina a grande surpresa que o final da história lhe reserva.

sumário

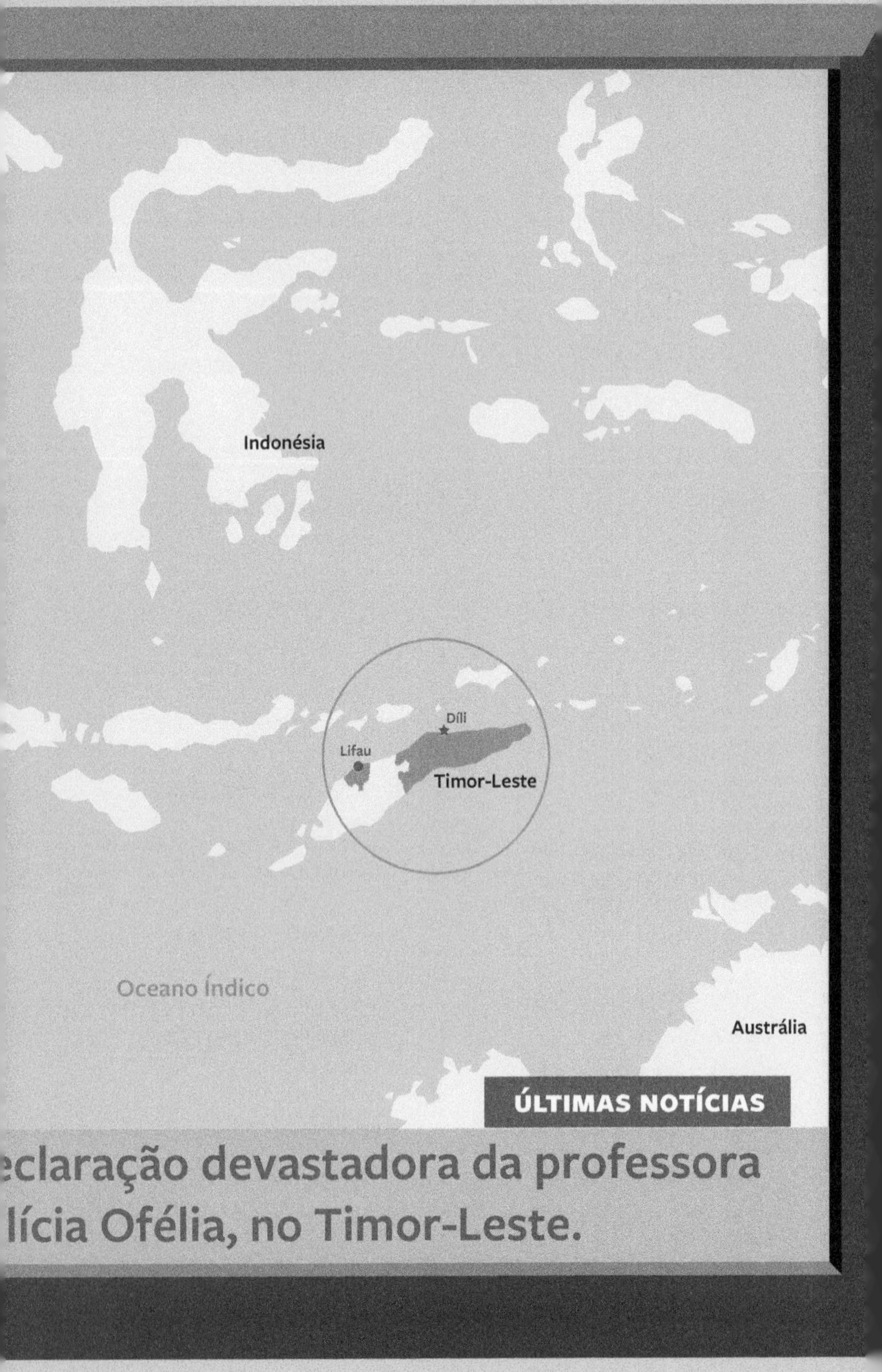
Indonésia
Díli
Lifau
Timor-Leste
Oceano Índico
Austrália
ÚLTIMAS NOTÍCIAS
eclaração devastadora da professora
lícia Ofélia, no Timor-Leste.

A professora enlouqueceu! 1

"– Ontem, estava a matabichar quando virei barata. Acordei cangada no meio de dois gorilas. No dia do grande pé de vento quero bazar, pois o tacudo está a aldrabar. Ria com o barco encarnado que voa, mas é um banheiro que vai me salvar!"

Com esse festival de palavras sem pé nem cabeça, a notável mestra Felícia deu início à sua declaração em apoio à língua portuguesa, gravada em um estúdio de TV.

Felícia Ofélia era natural do Timor-Leste e sofrera muito com a guerra nesse pequeno país, situado no distante Oriente, do outro lado do mundo. Professora dedicada, ela lecionava na capital, Díli, tendo sido perseguida e proibida, pelos invasores, de falar e ensinar sua língua durante muitos anos. Mas, de tanto lutarem, os timorenses haviam conquistado a sua independência e, assim, podiam de novo se expressar livremente em português. Por sua luta em defesa do Timor-Leste e da língua portuguesa, Felícia ganhara projeção mundial.

A professora ia continuar a falar, porém fez uma pausa de alguns segundos, como se estivesse tomando fôlego para dizer algo importante.

De repente, para surpresa ainda maior, a professora encerrou bruscamente sua fala e, encarando a câmera de TV com seus olhos vivos, realçados por sua pele morena e seus longos cabelos escuros, concluiu:

– Bem, na realidade eu me cansei dessa luta em defesa da língua portuguesa. Essa língua está me deixando louca. Vou sair de férias, preciso descansar. Adeus! – e, após dizer isso, retirou-se do recinto.

Eram oito horas de uma noite estrelada no Timor-Leste, onde milhares de espectadores, que aguardavam ansiosos diante da televisão pelas declarações da professora, foram surpreendidos e reagiram, indignados:

– Pé de vento? – uns gritavam, sem entender.

– Virou barata? – outros diziam com nojo.

Os dois apresentadores da TV Timor também estavam em estado de choque.

– Um banheiro é que vai me salvar! – repetiu um dos âncoras – Acho que a professora enlouqueceu!

– Não posso acreditar que ela tenha mudado desse jeito e esteja falando tanta besteira – esbravejou o outro apresentador. – A professora Felícia desmoralizou a língua portuguesa!

Nas horas seguintes, aquela declaração-bomba teria um efeito devastador, que percorreria o mundo e, em breve, estaria nos noticiários do Brasil.

Uma carta misteriosa

2

A cidade de veraneio, no sul do Brasil, estava tão vazia que parecia que, de uma hora para outra, um enorme aspirador havia sugado toda aquela gente que lotara as praias e as ruas nos dias anteriores. As férias de Mano-Loco haviam chegado ao fim.

Embalado pelos seus 80 quilos, seria fácil descer a avenida em sua bicicleta rumo ao centro comercial, mas o garoto pedalava lentamente; afinal, era o seu último passeio antes de pegar a estrada e voltar para casa. À tarde, teria de estar na escola para o início das aulas.

Antônio Loco e, com o tempo, Mano-Loco tinha 13 anos; era Loco por parte de família e Mano por ser amigo, quase irmão, de muita gente. Mas, pouco a pouco, suas loucuras ganharam tanta relevância que louco, ou melhor, "loco", virou adjetivo. Enquanto mano foi quase relegado à condição de substantivo. Para os colegas, ele era "O cara". Filho de um casal de perfumistas, ele adorava fazer experiências com aromas e seu maior sonho era criar o "gás da loucura" ou, como ele dizia, o "gás da doideira". Pretendia com isso divertir-se bastante, desmoralizando aquelas pessoas de que ele não gostava ou que desejassem lhe fazer mal. Queria que esse gás, ao ser inalado por pessoas ruins, arrogantes, injustas, as deixasse doidinhas, só falando e fazendo bobagens, para que ficassem ridículas e perdessem a pose por, pelo menos, alguns minutos. As experiências do garoto estavam indo bem e ele estava bem perto de uma fórmula devastadora...

Mano-Loco continuou pedalando e freando, pedalando e freando. Era como se travasse uma luta contra o tempo para ficar de férias para sempre. E quanto mais sacolejava, mais agitava a nova fórmula que havia inventado e colocado em um frasco para experiências, que agora carregava no bolso da sua bermuda. Ali dentro, uma estranha substância, feita com repolho podre e outras porcarias, como ovo estragado, pitadinhas de peixe em decomposição e suco de laranja passado, era sacudida incessantemente.

A bandana verde na cabeça, o cabelo loiro e os olhos azuis davam ao garoto ares patrióticos. Suas ideias malucas eram decisivas nas missões dos Natos, uma escola com unidades espalhadas por todo o país e comandada por Mestre Alceu, renomado defensor do meio ambiente e das raízes culturais do Brasil. A escola mantinha uma sede secreta em uma caverna em Fernando de Noronha e participava constantemente de gincanas e desafios com outras escolas. No entanto, já fazia um ano que não eram convocados para nenhuma missão especial.

Chegando à avenida principal do centro comercial, o garoto começou a procurar uma loja que vendesse óleo essencial de olíbano, um aroma que ele queria acrescentar à sua mais nova fórmula. Era mais um ingrediente que experimentaria para produzir o seu gás da doideira. Para descobrir onde poderia encontrar uma loja de aromas, tentou conseguir informações em uma butique de roupas de banho, onde um aviso na porta dizia: VOLTAREI A.S.A.P. Na vitrine, faixas anunciavam: SALES: 50% OFF! Como não havia sinal de vida naquela loja, o menino dirigiu-se a uma revendedora de automóveis, porém o único movimento que notou foi o de um estandarte de papel que balançava ao bel-prazer do vento. Nele, estava impresso, em letras garrafais: F.Y.I.: SEM TEST DRIVE HOJE!

Sem sucesso, voltou-se para o outro lado da rua, onde havia uma agência de turismo às escuras. O garoto apenas conseguiu ler uma frase rabiscada na porta: UPGRADING PARA QUEM É V.I.P.! Mano-Loco começou a ficar nervoso com aquele festival de abreviaturas e palavras em inglês. Por que o idioma português era relegado ao segundo plano? Ele não conseguia entender e isso o irritava muito. E Mano-Loco nervoso era um problema, visto que tinha necessidade de quebrar alguma coisa... Para piorar, ele estava com fome, pois naquele último café da manhã de férias sua tia pão-dura servira ao sobrinho apenas um copinho de leite com chocolate e duas torradas. Com fome, o menino ficava ainda mais irado e agitado. E a substância que estava no seu frasco de experiências também ia sendo agitada, agitada, agitada... Mano-Loco, muito irritado, com um frasco contendo repolho estragado misturado a um monte de porcarias fedorentas, sacolejando no bolso. O que haveria de acontecer com aquela mistureba brava?

Um restaurante fechado dizia: HAPPY HOUR PARA QUEM É S.C. – Special Client. Uma loja de jogos por computador informava na sua fachada: SE VC TEM GRAU S.A.M. VIRE HOJE UM S.A.M. PLUS. O menino não conseguiu se segurar. Cartazes, um mundo infinito de abreviaturas, um uso exagerado de palavras em inglês. F.Y.I., FOR YOUR INFORMATION. A.S.A.P., AS SOON AS POSSIBLE. De repente, pegou o frasco de experiências e atirou-o no chão. *Crash*! Foi pedaço de vidro para tudo o que é lado e um aroma muito fedido foi tomando conta do ar. V.I.P. PERSONAL TRAINER.

Sentiu um certo enjoo. FITNESS CENTER. VC É FASHION? Um cheiro pavoroso começou a deixá-lo zonzo e, de repente, ele desembestou a dar gargalhadas, doido que dava dó. Mano-Loco pirou total. Apontava para os outros e ria da cara de todos. Ah, aquele cheiro, aquele gás exalado pelo repolho podre agitado!

Como o garoto adorava repolho e já vinha se acostumando com aquele cheiro a cada nova fórmula, o efeito não foi tão bombástico sobre ele, mas para os outros... E, ainda que meio zonzo, ele pôde assistir ao festival de barbaridades que se seguiu... Começou com uma senhora que passava toda comportadinha, com aquele passo curtinho, cabelinho branquinho penteadinho, curvadinha e bonitinha. Ao respirar aquele aroma insuportável, ela logo começou a ficar muito maluca também.

Olhou para o Mano-Loco e começou a gritar:

– Malucão, tu és "O cara"! "O cara"!

Contudo, logo se esqueceu do garoto e, em vez de berrar, começou a mandar beijo para o vendedor de melancias, que montava uma barraca. Este, também cheio de maluquice nas ideias por ter inalado o gás da doideira, fez beicinho para a senhora aloprada e disse que queria se casar com ela. Mano-Loco riu muito e então debochou de um guarda de trânsito, que, bravo, veio ao seu encontro, porém também logo perdeu o juízo. Ria e distribuía multas para todo mundo: pedestres, carros, até cachorros... Depois de tantas barbaridades e loucuras, a praça da cidadezinha se transformou em um espetáculo teatral digno de um manicômio. Mano-Loco desmaiou, não de inalar seu fétido gás, mas de tanto rir.

Somente alguns minutos depois o menino acordou. E, aos poucos, se recompôs. O silêncio era total, como se nada tivesse acontecido. Não havia mais ninguém por perto. Notou, então, que estava diante de uma banca de jornais, e uma manchete logo lhe chamou a atenção: "POETA ESCONDEU TESOURO NO BRASIL". Mano-Loco imediatamente se levantou e se aproximou para ler mais detalhes da notícia:

Autoridades revelaram ter encontrado há um mês, em meio a objetos muito antigos, abandonados em uma igreja de Santana de Parnaíba, cidade próxima a São Paulo, uma pequena caixa contendo uma carta datada de 1580, um mapa do século XVI e a chave de uma arca. A carta, em excelente estado de conservação, é assinada pelo poeta português Luís Vaz de Camões, autor da ilustre obra *Os lusíadas*. Exames comprovaram a autenticidade do documento. Antes de morrer, Camões teria solicitado a seu criado e amigo Jau que escondesse no Brasil uma arca, com a recompensa que recebeu pela sua obra. Até então, acreditava-se que o poeta morrera na miséria. Agora, muitos supõem que o rei de Portugal teria presenteado Camões com uma grande fortuna em joias, moedas valiosas e objetos de ouro. Não se sabe, no entanto, por que o poeta decidiu esconder esse verdadeiro tesouro. A carta fornece apenas uma primeira pista, que estaria em um código utilizado por Camões. Entretanto, para chegar ao local exato onde está a arca, é necessário encontrar as outras dez mensagens, também criadas nesse código de Camões, que Jau espalhou pelo antigo e imenso Império Português do século XVI. Também haveria, com a carta, um estranho objeto de madeira chamado portulábio, que, no entanto, desapareceu misteriosamente. Temendo gerar especulações, as autoridades não forneceram mais informações, limitando-se a dizer que duas escolas haviam se candidatado a encontrar o tesouro.

O coração de Mano-Loco disparou. Um festival de perguntas passou a desfilar na sua mente. Quais seriam essas duas escolas? Onde poderia estar o tesouro? O que seria o portulábio? Nas mãos de quem ele estaria agora? Qual seria a primeira pista? E o que seria esse código de Camões?

Naquele mesmo instante, seu celular vibrou. A imagem do Mestre Alceu surgiu no visor, passando uma mensagem que mudaria o rumo daquele final de verão:

Convoco a equipe de missões especiais do Liceu dos Natos. Temos uma missão com a professora Felícia. Estejam em Fernando de Noronha hoje, antes das 20h. Urgente. Não se atrasem.

Mano-Loco deu um pulo de alegria e não parou de falar sozinho:

– Oba, uma missão especial! E será que tem alguma coisa a ver com essa carta deixada pelo poeta Luís de Camões? Vou ser dispensado das aulas e ainda vou encontrar a professora Felícia! Dá-lhe, garoto!

Ele era fã da professora, que fizera com que ele e seus companheiros sentissem orgulho de falar português. Entretanto, mal sabia o que estava acontecendo no outro lado do mundo naquele instante.

Mano-Loco ligou em seguida para seu pai, que tratou de arrumar uma carona em um avião de cargas de um amigo que iria para o Nordeste no início da tarde. O garoto, então, aumentou o ritmo das suas pedaladas. O dia ganhou um clima de festa.

Sentia agora um frio na barriga – tinha pela frente uma nova missão, cheia de emoções. E, para deixá-lo ainda mais animado, no caminho de volta lembrou daquele cheiro insuportável que fizera todo mundo ficar louco por alguns minutos. Os olhos de Mano-Loco brilharam mais do que nunca. Estava louco, de felicidade.

Jack Stress, o megaempresário 3

O barulho do motor de um helicóptero anunciava a chegada do poderoso Jack Stress à sede do seu conglomerado de empresas, no alto de um prédio de quarenta andares em São Paulo, após uma longa viagem de negócios ao Oriente.

Jack Stress nascera de uma união marcada pela desconfiança: seu pai era agente secreto americano e sua mãe trabalhava para a polícia secreta russa. Um vivia espionando o outro. O filho do casal, Jack, veio ao mundo durante a missão de sua mãe no Brasil e, poucos anos mais tarde, seria deixado em uma creche em Moscou.

Apesar de odiar sua terra natal e a língua portuguesa, mudou-se para o Brasil, de olho na exploração da Floresta Amazônica. De golpe em golpe, construiu um verdadeiro império. Dos seus muitos negócios, os dois que considerava mais importantes eram a sua escola, a s.s.s. – Super Stress School – e uma editora poderosa, a Jack Book. No entanto, por trás de tudo isso, havia um plano macabro...

Os seus filhos já o aguardavam para a reunião mais importante dos últimos anos, em que ele anunciaria o lançamento de um projeto revolucionário. Os garotos de Jack eram trigêmeos. Ao nascerem, Stress deu um sumiço na mãe e literalmente se apropriou dos três meninos. Ele os chamava de Stress Boys e os distinguia pelas siglas S1, S2 e S3.

Os passos pesados de Jack ecoavam escada abaixo e abafavam o ronco do motor do helicóptero. Os cinquenta e dois segundos que separavam o heliponto da sala de reunião fizeram os seus filhos tremerem. Quando chegou à porta, todos se levantaram:

– Viva, *Mr.* Stress! – saudaram-no em coro.

– Stress Boys, *sit down*, sentem-se! – ordenou, de forma ditatorial. – S.P.T., Sem Perder Tempo, OK?!

Aquele homenzarrão de um metro e noventa de altura, rosto quadrado, corpo de atleta, cheio de tiques nervosos e cabelo esculpido por um banho diário de gel, que apresentava naquele dia uma respiração mais ofegante do que a habitual, ajustou sua gravata e começou a andar pela sala. Ao passar por um abajur de ouro, com Hércules segurando o mundo, desferiu um olhar que varreu todo o recinto. Notou uma cadeira vazia e, histericamente, perguntou:

– Por que o nosso C.E.O., Canalha-Encarregado-Operacional, não está aqui?

– Ele está *off*, fora – respondeu S1, o mais vaidoso e invejoso de todos, com seus olhos enormes, arregalados de tensão.

Irritado, Jack deu um pontapé em um vaso adornado por quatro trombas de elefantes e desatou a gritar:

– Pateta! Se ele não chegar para o nosso G.O.M. – *General Official Meeting*, reunião geral e oficial, vou enviar uma D.S.I. – Demissão Sumária de Imbecis, OK?!

– Ele disse que estava fazendo um J.E.M., Job Especial de Mercado, um trabalho de pesquisa – explicou S2, o filho mais mentiroso, cobrindo o rosto com suas mãos.

– Não interessa, seu boboca! Atrasos significam prejuízos.

Eu quero cada vez mais...

– *Power*! – todos responderam em pé.

– Está bem, mas vamos em frente S.P.T. – Sem Perder Tempo. Essa conversa nos tirou preciosos segundos. Tenho uma surpresa que nos dará muitos milhões de dólares, OK?!

Parou diante de uma grande janela que lhe proporcionava uma vista de toda a metrópole, com seu exército de prédios silenciosos. Chegara o grande momento. Era a hora de contar seus planos ambiciosos. Ao respirar, sugou quase todo o oxigênio da sala e começou a contar seu novo projeto:

– Como eu sempre disse, os brasileiros precisam de uma língua que seja *worldwide*, falada nos quatro cantos do mundo. Eles precisam de uma língua simples. Afinal, hoje em dia é preciso poupar palavras, poupar tempo. Essa língua portuguesa é cada vez menos falada no mundo. Ela precisa ser deletada, apagada, OK?!

Ninguém piscava. Jack Stress apertava nervosamente um globo terrestre de borracha que cabia na palma de sua mão. Unhou com raiva o gomo onde estava o Brasil e sacou um controle remoto de seu bolso, apontando-o em direção a uma grande porta metálica que ficava no fundo da sala. A porta fez um estrondo e, então, começou a se abrir lentamente. O espetáculo ia começar.

– S1, S2 e S3, tenho o orgulho de apresentar uma nova língua, feita para os brasileiros. A língua *hi-tech*, criada por computador pelos nossos técnicos. A língua rica em abreviaturas, que poupa tempo, que economiza verbos, que um dia até poderá substituir o português. A língua que, em breve, estará na nossa escola e, com o tempo, em todo o país, porque todos desejarão aprendê-la! Alunos da S.S.S., apresento a minha língua, a nossa língua, a língua que reúne tudo o que precisamos... – fez uma pausa e então berrou: – O STRESSÊS!

A porta se abriu e dezenas de robôs entraram na sala ao som de uma música magnífica. Seus filhos foram ao delírio. Os robôs falavam uma língua maluca, cheia de siglas, abreviaturas, misturando inglês com português. Jack riu nervosamente e prosseguiu:

– Isso significa a venda de milhões e milhões de livros, dicionários, enciclopédias, manuais... Estudantes, empresários, todo mundo vai querer aprender a nova língua, o nosso stressês. Nossa editora, a Jack Book, trabalhará dia e noite. Nossa produção de papel baterá *records*!

Os Stress Boys subiram nas cadeiras e bradaram:

– *Money*! *Power*! *Mr.* Stress é um gênio!

S3, com suas orelhas-radares que faziam dele um espalhador de fofocas, interpelou-o eufórico:

– Quando será o *start-up*, o lançamento oficial da nossa língua?

– Toda uma coleção de dicionários, livros didáticos e guias de stressês será lançada na Book Show, a Feira Internacional de Livros de Hong Kong, daqui a três semanas!

– Vai ser um *show*! – berraram juntos.

– Mas isso não basta. Precisamos demonstrar a força da nossa língua – continuou. – E, para nossa sorte, surgiu um fato relevante para mostrar que o stressês é muito melhor que o português.

– Que fato? – perguntaram em coro.

– Hum... É realmente um fato que caiu como uma luva! – começou a responder, em tom de suspense. – Trata-se da história de um tesouro deixado por um tal de Camões! Para encontrá-lo, será preciso seguir o caminho de umas mensagens que ele mandou esconder neste mundo afora, em cantos onde se fala português. Ou, melhor, falava-se. Não podíamos perder essa oportunidade e então oferecemos os serviços da nossa escola, a imbatível S.S.S., para encontrar o tesouro. Usando nosso stressês, é claro! Com isso, vamos provar que o português está desaparecendo e que a nossa língua pode ser muito mais útil nos dias de hoje, OK?!

Apesar de exaltado, S3 não conseguia acreditar naquela história e teve a ousadia de perguntar:

– Mas a língua portuguesa não é falada em vários países? Eu li que ela é uma língua materna mais falada que o francês, o russo e o alemão...

Jack quase explodiu de raiva:

– I.A.E.! – Informação Absolutamente Errada! E não abra mais a boca para dizer bobagem!

Naquele instante, o C.E.O. entrou na sala. Por pouco, escapou de um castigo mortal. Cheio de tiques nervosos, sorriso metálico e com oito celulares presos à cintura, pediu desculpas e disse:

– *Sorry*, *Mr.* Stress. Eu estava obtendo mais informações sobre esse tesouro. Como o senhor sabe, há uma escola, o Liceu dos Natos, que também se ofereceu para encontrar a arca desaparecida. Então, o Ministério da Cultura decidiu organizar uma competição, uma espécie de gincana entre as duas escolas – disse, sem respirar.

– J.S.F.T. – Já Sabia Faz Tempo... E isso vai ser ótimo. Essa disputa vai dar publicidade para nossa língua! – disse Jack Stress, convencido. – Esses Natos são uns garotos intrometidos que defendem a natureza e agora estão dando uma de defensores da língua portuguesa.

– E até ganharam um reforço – falou o C.E.O. – A professora Felícia, a embaixadora da língua portuguesa.

Jack Stress riu, sarcasticamente:

– Hahahaha! Aquela professora Felícia... Hahahaha... Bem, meus comandados, nós só temos a ganhar com isso. Será uma oportunidade de ouro para provarmos a todos que o stressês é uma língua que veio para ficar – decretou o empresário, aos berros.

– Mas como será essa disputa? – perguntou S3.

– Sabemos que será uma gincana pelo mundo, saindo lá de Fernando de Noronha. As regras serão comunicadas amanhã por videoconferência.

Após vários tiques nervosos, Jack ordenou:

– C.E.O., conclua as obras da nossa base avançada em Fernando de Noronha. Eu quero tudo pronto até hoje à noite! E embarque amanhã para Hong Kong. Precisamos de você lá, no nosso barco. Depois darei as orientações do que fazer, OK?!

E, para concluir a reunião, Jack gritou, em tom de discurso:

– Vamos desmoralizar e acabar com essa língua inútil! Viva o stressês, OK?!

Sob os gritos histéricos dos Stress Boys, Jack virou-se para um grande espelho e deu uma piscada... para ele mesmo. Afinal, ele, Jack Stress, era realmente o máximo, e nada, nem ninguém, poderia detê-lo.

Encontro em Fernando de Noronha

4

Mano-Loco teve de "voar" em todos os sentidos para chegar à base dos Natos naquela noite. Depois de cinco horas de viagem, finalmente se via no horizonte a silhueta inconfundível do Morro do Pico, sinalizando a chegada a Fernando de Noronha. O avião deu uma volta sobre o arquipélago e pousou calmamente.

O calor era intenso naquela ilha escarpada, por vezes arisca à aproximação de visitantes. O céu estrelado e a lua cheia faziam da noite uma sessão de cinema. No momento em que Mano-Loco descia a escada do bimotor e se despedia do amigo do seu pai, um barulho ensurdecedor interrompeu a lua de mel visual do garoto com a ilha. Um grandioso jato executivo acabara de aterrissar, quase se espatifando no final da pequena pista. Na fuselagem da aeronave lia-se em letras douradas: s.s.s.

Mano-Loco não deu importância àquele avião exótico, pintado de preto. Nem poderia saber que eram seus rivais. Pegou sua mochila e seguiu para o esconderijo.

Graças ao luar, o garoto podia apreciar o Oceano Atlântico ao fundo. O barulho das ondas atiçava ainda mais sua ansiedade. Ao ver o mar por onde passaram os navegantes portugueses, há mais de quinhentos anos, o garoto lembrou da busca ao tesouro deixado por Camões. "O que haveria dentro da arca? Objetos de ouro, moedas raras, muitas joias? Teria a convocação do Mestre Alceu alguma relação com aquela misteriosa carta? O que seria aquele código usado pelo poeta? E o tal de portulábio, que objeto seria?" – perguntou-se.

Continuou caminhando e, por alguns instantes, viajou ainda mais na imaginação. Não via a hora de reencontrar os Natos, cujo grupo de missões especiais era formado por Helô, Mestre Alceu, Tobi, Luzia e o próprio Mano-Loco. Pensou em Helô, que era um tormento para a sua cabeça. Ela nascera em Portugal e, quando sua família se mudou para Minas Gerais, era ainda recém-nascida. Pequenina, tinha um sorriso do tamanho do mundo e seus olhos castanhos brilhavam como pedras preciosas, irradiando um otimismo contagiante. Seus gestos delicados rimavam com sua fala, empregando invariavelmente palavras no diminutivo. Quando andava, seus cabelos escuros esvoaçavam como se fossem o longo véu de uma noiva. Ela mexia com o seu coração, porém Mano-Loco tinha certo bloqueio nesse quesito.

O menino seguiu por uma picada que dava acesso a uma praia deserta. Ali, teve de caminhar com cuidado, equilibrando-se sobre as rochas. Mano-Loco entrou por uma pequena fenda entre as pedras à beira-mar, encoberta pela vegetação, para chegar à caverna onde ficava o esconderijo dos Natos. Ao acionar um botão do seu relógio, que emitia raios infravermelhos, uma porta secreta foi aberta.

– Meu louquinho! Até que enfim você chegou – disse Helô, abraçando-o. – Estava... Estávamos preocupados!

– Olá, Helô! Que saudade! – disse, com o coração em disparada, mal conseguindo disfarçar sua afeição pela menina.

Tobi, Luzia e Mestre Alceu também vieram recebê-lo. Tobi

era negro, alto e encorpado, o que combinava com suas atitudes firmes. Seu cabelo curto, quase ralo, fazia sua cabeça inteira reluzir diante do mais simples raio de sol. Natural de Angola, morava em Salvador e sua maior paixão era montar e desmontar computadores.

– Pessoal, tenho uma novidade! Acho que descobri uma forma de deixar meio louco alguém que queremos. – disse Mano-Loco, entusiasmado.

– Deixar louco de amor?! – atropelou Helô, empolgada, ajeitando seus cabelos pretos e cuidadosamente penteados.

– Não, é outra coisa.

– Então fala logo – disse Luzia.

A carioca Luzia era a mais alta e curiosa da turma. Assim como Tobi, era negra e um ano mais jovem que Helô e Mano-Loco: tinha doze anos. Usava maria-chiquinha, que formava dois ângulos perfeitamente alinhados, assim como seus ombros largos, fortalecidos após anos de prática de natação. Precisa e metódica, adorava fazer cálculos e resolver enigmas. Seus olhos castanhos quase avançavam com seus óculos, nariz abaixo, quando começava a ler livros de aventura. A menina curtia uma novidade e, ansiosa, insistiu:

– Vai, *fofo*, conta.

Mano-Loco enrubesceu com aquela palavra fatal e até se esqueceu do que ia revelar. Não podia ser chamado de fofo que reagia com uma espécie de alergia, talvez timidez com garotas. E logo desembestou em uma crise de cacófatos:

– *Fo-fo*, não, não me... me chame de *fo-fo*... Na *vez passada*, me-meu coração qua-quase explodiu. Eu estava na praia e *lá tinha* ela...

– Ai! Esqueci que você não pode ser chamado desse jeito.

Com as desculpas da menina, o surto de cacófatos parou.

No entanto, Mestre Alceu, que era muito brincalhão e não gostava de ver os Natos cometendo incorreções de português, não titubeou:

– Ao ouvir Mano-Loco, preste atenção!
Falar vespa assada na latinha é besteira de montão.
Em Portugal, seria chamado de parvalhão.
E, no Brasil, meus amigos, um perfeito bobalhão!

Mano-Loco, que era rápido nas respostas, não se conteve e declamou:

– Vejam que Mestre mais genial!
Esperto como ele não há igual.
Na sua casa, a porta de entrada é toda de vidro transparente.
Até que ele colocou um olho mágico. Isso é ser inteligente?

Todos riram e aplaudiram o desafio daqueles divertidos repentistas. Mestre Alceu, que nessas horas dava a maior liberdade aos Natos, também riu bastante, mas logo coçou sua lustrosa careca, passou a mão no bigode e, em seguida, levantou a mão direita, no seu inconfundível sinal de "basta de brincadeira". E começou a informar pormenores da missão que teriam pela frente.

– Jovens, agora vamos falar de um assunto muito sério. Vocês todos estão sabendo da carta que foi encontrada em Santana de Parnaíba, escrita pelo poeta Camões, não estão?

– Li no jornal – disse Luzia. – De acordo com a carta, ele escondeu um tesouro em algum lugar do Brasil e, para encontrá-lo, será preciso procurar mensagens espalhadas pelo antigo

Império Português.

– Ouvi no rádio que uma escola chamada s.s.s. se propôs a encontrá-lo! – acrescentou Tobi.

– E Camões também deixou um estranho instrumento chamado portulábio, que desapareceu misteriosamente. Ninguém sabe com quem ele está! – completou Mano-Loco.

– Puxa, Camões! Sinto um arrepio só de imaginar o que pode ser o tesouro escondido por Camões, o George Lucas do Renascimento – exclamou Helô, ajustando seus óculos de aros redondos.

– George Lucas do Renascimento? – perguntou Mestre Alceu.

– Sim. Camões é também autor de uma superprodução: *Os lusíadas*. Assim como a fantástica obra *Guerra nas Estrelas*, de George Lucas, *Os lusíadas* foi mais do que um livro com versos contando a incrível viagem que Vasco da Gama fez para descobrir o caminho das Índias. Com as palavras, Camões provoca efeitos especiais na nossa imaginação!

– Mas o que poderia ser esse código de Camões? – perguntou Mano-Loco, com interesse redobrado.

– Veremos, jovens – disse Mestre Alceu. – Fico feliz que estejam bem informados. É por isso que eu os convoquei. O Ministério da Cultura está realizando uma gincana entre escolas para encontrar a notória arca. Participaremos de uma disputa contra a s.s.s., a Super Stress School, do megaempresário Jack Stress, um milionário que está fazendo de tudo para desmoralizar a língua portuguesa. Ele ambiciona implantar nas escolas uma língua maluca que inventou, o stressês, que declara ser muito melhor, muito mais prática para os dias de hoje.

– Esse cara está louco! – disseram em coro.

– Sem dúvida, mas está chamando a atenção de todos com

essa língua. E botando minhoca na cabeça de muita gente. Acho que foi por isso que o ministro da Cultura pediu que nós desafiássemos a s.s.s. na busca desse tesouro pelo mundo. Se conseguirmos encontrá-lo, comunicando-nos em português, mostraremos também que, de fato, a nossa língua está viva em muitos lugares do planeta! Assim, foi criada uma gincana chamada A Volta ao Mundo. O nosso Liceu dos Natos contra a s.s.s.

– Nota dez e meio! Teremos de dar uma volta ao mundo! – comemorou Mano-Loco, dando um pulo de alegria.

– As regras da disputa serão comunicadas amanhã em rede nacional. Precisamos estar cientes de que lutaremos contra um adversário poderoso. Há muito dinheiro em jogo, já que ele tem uma grande editora. Vai vender muito livro se mostrar que o stressês é uma língua compreendida por aí.

Mestre Alceu coçou o bigode e começou a falar com orgulho do trabalho de sua colega, a professora timorense Felícia, que difundia a língua portuguesa pelo mundo. Para terminar, olhando no relógio, disse:

– Vamos à sala de comando para assistir ao noticiário. Ele deve mostrar a declaração que a Felícia deu hoje no Timor em apoio à nossa língua.

A sala de comando era o coração do quartel dos Natos. Possuía computadores de última geração, comunicação por satélite, farto material de consulta e um grande telão no teto.

Mestre Alceu acionou o controle remoto e ligou o aparelho digital no momento em que o apresentador do noticiário anunciava a declaração da professora feita em Díli, no Timor-Leste. Felícia surgiu na tela com um olhar sério. Ao falar, sua expressão tornou-se assustadora e suas palavras deixaram todos indignados.

"– Ontem, estava a matabichar quando virei barata. Acordei cangada no meio de dois gorilas. No dia do grande pé de vento quero bazar, pois o tacudo está a aldrabar. Ria com o barco encarnado que voa, mas é um banheiro que vai me salvar! Vou sair de férias.". E, então, sua voz sumiu.

– Matabichar? Ela pirou? – indagou Mano-Loco.

– O que é isso? – perguntou Tobi, também estarrecido.

– Ela caiu no ridículo!... – protestou Mestre Alceu.

No quartel dos rivais, Jack Stress e os Stress Boys também assistiam ao noticiário e rolaram no chão às gargalhadas.

– Acordei cangada no meio de dois gorilas! – repetiu Helô. – Acho que ela ficou doidinha.

– Não posso acreditar que ela tenha nos aprontado essa! Ela desmoralizou nossa língua, e agora teremos de seguir sozinhos! – concluiu Mestre Alceu, transtornado.

A Volta ao Mundo e suas regras

5

Foi duro dormir naquela noite, porque o discurso recheado de bobagens da professora Felícia ainda martelava na cabeça de todos. E quando pegaram no sono tiveram muitos pesadelos. A professora teria mesmo desistido de defender o idioma português? Teria enlouquecido? Para onde teria ido?

Depois do café da manhã, a equipe foi convocada por Mestre Alceu para assistir, na sala de comando, à apresentação do regulamento da Volta ao Mundo em rede nacional.

Helô, como sempre, fez que ia se sentar ao lado do Mano-Loco. Chegou perto, mais perto, ainda mais perto, o que deixou o garoto cada vez mais vermelho, coração prestes a explodir. No entanto, Helô passou por ele, fez charminho, cabeça para cima, como se não estivesse nem aí, e deu a maior esnobada no colega para, então, acomodar-se bem longe. Mas as batidas do seu coração eram tão fortes como as do menino.

Eram nove horas da manhã quando a contagem regressiva soou no salão de comando: cinco, quatro, três, dois, um... No telão, surgiram os dizeres: "Concurso A Volta ao Mundo – Ministério da Cultura". Em seguida, entrou em cena o ministro Leonardo Freitas, que logo começou a falar:

– Senhoras e senhores, meu cordial bom dia – anunciou o

político de cabelos grisalhos, que trajava terno escuro e usava óculos de leitura.

Visivelmente tenso, o homem respirava pesadamente. Ninguém emitia um som sequer no salão de comando da base dos Natos. O mesmo se repetia a alguns quilômetros dali, no quartel da s.s.s., onde Jack Stress e toda a sua equipe também assistiam ao discurso em um grande telão. Um letreiro identificava o ministro como o presidente da recém-criada comissão organizadora daquela disputa. Ele pigarreou e prosseguiu:

– Como muitos sabem, nossas autoridades encontraram uma carta do poeta Luís de Camões, na qual ele revela a existência de um tesouro escondido no Brasil. Duas escolas, o Liceu dos Natos e a s.s.s. – *Super Stress School*, prontamente se dispuseram a encontrá-lo. Assim, para organizar melhor essa saudável busca ao tesouro, decidimos fazer uma disputa. A s.s.s. diz que conseguirá chegar primeiro, usando sua nova língua, o stressês. Já os Natos garantem que poderão dar essa volta ao mundo usando exclusivamente o português. Quem terá êxito?

O ministro ajustou os óculos que escorregavam sobre o nariz, engrossou a voz e, após descrever as duas organizações, começou a falar a respeito das regras do concurso.

– "Quem tem boca vai a Roma", diz o ditado. Pois, então, quem tem língua dá a volta ao mundo. E chega primeiro ao tesouro, não é?! Essa é a razão por que nomeamos essa disputa de A Volta ao Mundo. E como será essa verdadeira gincana ao redor do planeta? – perguntou e prosseguiu: – Camões disse, em sua carta, que recebeu uma grande recompensa por ter escrito *Os lusíadas* e a colocou dentro de uma arca que, a seu pedido, foi enterrada em algum lugar do Brasil. Para encontrar esse tesouro, será necessário que sejam decifradas algumas mensagens em código, que foram escondidas, a mando do poeta, em dez territórios que faziam parte do antigo Império Lusitano. Ora, será que o português ainda está vivo nestas terras? O ponto central da disputa é saber se os Natos conseguirão comunicar-se melhor usando a língua portuguesa ou se a s.s.s. é que vai obter melhores resultados, falando essa língua inventada, o stressês. Assim, quem encontrar o tesouro vencerá a disputa e, com isso, não só resgatará peças valiosas para a nossa história, como também demonstrará a força da sua língua.

Murmúrios ecoavam em todos os cantos, nos quartéis das duas escolas e em todas as casas e demais colégios do país. A mobilização da imprensa despertou o interesse nacional. Jack Stress fazia uma intensa campanha de divulgação, defendendo o stressês. Desse modo, as pessoas sentiam-se divididas: Natos ou s.s.s.? Português ou stressês? Seria o tal do stressês uma língua realmente útil, já que as pessoas falavam cada vez mais uma mistura de siglas, com palavras e expressões em português e inglês? Estaria o português vivo nos lugares do mundo que seriam percorridos pelos participantes da gincana? Ou já seria coisa do passado, cada vez menos falado?

O ministro Freitas deu continuidade à sua explanação:

– A partida será daqui a duas semanas, no dia 7 de março, às oito horas da manhã, do arquipélago de Fernando de Noronha, onde as duas escolas se encontram. Cada grupo poderá levar até cinco participantes. O prazo para o retorno é o dia 16 de março, no mesmo horário. Os participantes terão, portanto, nove dias para realizar essa missão. Na realidade, até dez dias, visto que se ganha um dia quando a viagem é feita no sentido Leste, o da rotação da Terra. Em resumo, poderão contar com um dia para encontrar cada mensagem e chegar ao tesouro. Se não tiverem sucesso nessa busca, deixaremos de resgatar uma parte da nossa história e muitas dúvidas persistirão.

No seu QG, Jack balançava a cabeça como mola solta e dava gargalhadas. Seu menosprezo pelos adversários era tão grande que encarava aquela disputa como diversão.

Depois de um breve intervalo, o ministro fez suas considerações finais.

– Com a carta, o poeta deixou a chave que possibilitará abrir a arca onde está o tesouro, um mapa e um objeto chamado portulábio, o qual tem poderes mágicos para quem fala português, acredita-se. No entanto, esse objeto desapareceu, e dele só encontramos alguns desenhos feitos pelo poeta na própria carta.

Em seguida, foram mostrados os desenhos do portulábio, o objeto confeccionado por Camões. Era um pequeno e fino instrumento, que não aparentava ter grande utilidade e mais parecia uma casca de árvore. Possuía uma lente vermelha no centro e um pequeno espelho na parte de trás. A cruz dos templários aparecia nas partes superior e inferior, esta acompanhada das iniciais do poeta. Não havia informação a respeito da finalidade daquele objeto, exceto que ele tinha poderes mágicos. Teria mesmo? Ou era apenas uma peça exótica?

Mal o ministro havia pedido que os diretores das duas escolas entrassem ao vivo, Jack Stress logo provocou seus adversários:

– Ah, que coisa boba essa porcaria de portulábio. Tem poderes mágicos para quem fala o português! Hahahaha! Que ridículo! Para mim, isso é um chaveiro! Aliás, se eu o encontrasse, deixaria que meus concorrentes o usassem. Acho que os coitados precisam de uma "colher de chá"! Ou, melhor, de uma casca de árvore! Afinal, até aquela tal professora Felícia já desistiu...

Ficou tão cheia dessa língua portuguesa que pirou! Hahahaha...

– Ah, é! – replicou Mestre Alceu. – Pois nós é que vamos dar uma "colher de chá" para vocês. Vamos viajar sem poluir, no Ícaro, o nosso avião movido a energia solar. E aproveito para dizer que estamos prontos para a disputa e aceitamos todas as condições.

– Avião solar? Vai experimentar essa sua tecnologia de maluco? Então, não vai poder voar à noite! Ah, meu adversário é um bobo. Isso está ficando cada vez mais divertido! – treplicou Jack Stress, e então completou: – Nós, da S.S.S., estamos prontos para a disputa e também aceitamos todas as condições.

– Ótimo! – concluiu o ministro, e completou: – A pista inicial para que seja encontrada a primeira mensagem e uma cópia do mapa feito pelo poeta serão fornecidas no momento da partida. O portulábio, caso seja encontrado, deverá ser entregue aos Natos. Sendo assim, estão determinadas as bases da Volta ao Mundo. Bons preparativos a todos e estejam prontos em 7 de março!

No esconderijo dos Natos, todos ficaram aflitos com a posição do Mestre Alceu em usar um avião movido a energia solar. Era uma excelente tecnologia, que impedia a poluição da atmosfera e evitava danos à camada de ozônio, porém ainda estava sendo testada. E, nas unidades do Liceu dos Natos em São Paulo, Rio de Janeiro, Belo Horizonte, Porto Alegre, Curitiba, Salvador e Brasília, os alunos ficaram ainda mais inseguros.

No QG da S.S.S., Jack Stress estourava uma garrafa de champanhe, brindando sozinho a sorte de poder provar, em uma disputa, a força e a utilidade do seu stressês e a decadência da língua portuguesa. Seus olhos emitiam um brilho em forma de cifrão.

Ícaro, o avião movido a energia solar

6

A falta de notícias sobre Felícia deixava-os cada vez mais intrigados. A dúvida quanto ao local onde estaria a primeira mensagem trazia também preocupações, porque receberiam a pista quando faltassem apenas cinco minutos para a partida. E, para aumentar suas aflições, teriam de voar em um avião movido a energia solar.

Por isso, logo no início dos treinamentos, que duraram duas semanas, Mestre Alceu os levou para conhecer o Ícaro, estacionado no campo de pouso da ilha:

– Sei que estão apreensivos com o nosso avião, mas não se preocupem. Conheço o Ícaro muito bem. O uso da energia solar tem se difundido. Não polui, é renovável e seu custo é cada vez mais baixo. A professora Felícia também pôde testar o Ícaro – disse, enquanto caminhavam entre as rochas. Desde o primeiro experimento com um monomotor atravessando o Canal da Mancha, essa tecnologia desenvolveu-se bastante. As placas fotovoltaicas do Ícaro acumulam energia durante o dia, e à noite temos autonomia de algumas horas. Isso também vai ajudar. E podemos pousar em terra, em rios e no mar, pois o Ícaro é um hidroavião. O espertalhão do Jack Stress não se tocou disso. Mas não se iludam. Nosso rival é traiçoeiro e certamente virá com muitos golpes baixos. Conheço a fama dele pelos negócios que já fez.

Ao chegarem ao aeroporto, foram até o Ícaro, estacionado no pátio. Acabara de ser puxado de um pequeno hangar. O avião, de fuselagem acinzentada, lembrava um pássaro prateado. Suas cabines pareciam dois olhos vivos, ansiosos para levantar voo e brincar pelos céus.

Timidamente, os Natos aproximaram-se do avião e Mestre Alceu quase teve de empurrá-los para que entrassem na cabine de comando. No seu interior, havia espaço para cinco pessoas. O painel de comando era todo computadorizado, porém relativamente simples. Na cabine de apoio havia um banheiro e, mais ao fundo, uma pequena cozinha com uma despensa, onde ficavam também os equipamentos de sobrevivência.

– A formidável aerodinâmica do Ícaro e seus motores fazem com que ele alcance a velocidade de 800 quilômetros por hora – acrescentou Mestre Alceu.

Os meninos estavam em silêncio, tamanha a surpresa que tiveram com o Ícaro. Finalmente, Mano-Loco manifestou-se:

– Maravilha, Mestre! Mas como será nossa missão com o Ícaro? Teremos algum apoio da base?

– Eu pilotarei o avião e cuidarei de sua manutenção. Você, a Helô e o Tobi serão treinados para me auxiliarem nos voos e realizarem as missões em terra. E a Luzia dará seu suporte sempre decisivo aqui da base. Juntos, decifraremos as mensagens. Logicamente, nossa equipe de técnicos também estará à disposição, fornecendo todas as orientações de que precisarmos.

Todos receberam com alegria as instruções de Mestre Alceu. Os Natos ficaram entusiasmados. Nas outras gincanas e missões, eles chegaram a voar de balão e a velejar, porém um hidroavião movido a energia solar era demais. Seria pura adrenalina!

No retorno para a base, ao olhar para o oceano à sua frente, Helô perguntou:

– Foi mesmo pelo mar que Portugal, tão pequenino, fez com que o nosso idioma se espalhasse pelo mundo, não foi?

Mestre Alceu abriu ali mesmo um pequeno mapa-múndi e mostrou para os Natos:

– Sem dúvida, Helô. Se vocês prestarem atenção no mapa, verão que Portugal parece a cabeça da Europa espreitando o Oceano Atlântico. Não conseguiu resistir à tamanha tentação de sair por aí: os portugueses estudaram, pesquisaram e acabaram virando mestres em navegação e, por meio das águas do mar, descobriram novas terras, difundindo a língua portuguesa pelo mundo.

– Mas, além da busca do caminho para as Índias, Portugal queria descobrir mais o quê? – indagou Tobi.

– Além disso, os navegantes portugueses também queriam difundir a "Fé de Cristo" e não dar espaço aos mouros, seus grandes inimigos na época. É por isso que, em todos os lugares a que eles chegavam, tratavam logo de marcar presença, fincando uma grande cruz. Nós também devemos estar atentos a este sinal.

Um misto de euforia e apreensão envolvia os Natos. Uma grande aventura, cheia de mistérios, certamente estava por vir. Os garotos queriam que aquelas duas semanas passassem voando para poderem começar A Volta ao Mundo. E Mano-Loco, mais ainda, contava os dias para poder colocar em prática seu experimento.

"Ah, Jack Stress, você que ouse nos trapacear" – pensou, no fundo até querendo que isso acontecesse e, assim, ele pudesse aprontar para cima do rival.

No quartel de Jack Stress, os preparativos para A Volta ao Mundo também andavam a pleno vapor. Os Stress Boys eram treinados e orientados pelos técnicos e assistiam a aulas de stressês todos os dias. O C.E.O. logo embarcou para o Oriente para ajudar a S.S.S. a partir da base em Hong Kong, localizada em um barco ultramoderno. Na realidade, Jack Stress havia destacado seu assistente para uma missão secreta muito especial.

O acampamento-base do megaempresário encontrava-se no alto de uma escarpa, de onde enormes antenas parabólicas, como ouvidos postiços de Jack Stress, sugavam informações dos seus escritórios pelo mundo. No pátio do aeroporto, o jato era vistoriado por técnicos, e as letras S.S.S., incrustadas na fuselagem do avião em tamanho gigante, eram lustradas a toda hora por S1, S2 e S3.

Ao final dos treinamentos, Jack Stress convocou sua equipe para uma rodada de informações.

– Bem, para dar como encerrados os nossos treinamentos, gostaria de saber se estão afiados. Qual é mesmo o grande evento que acontecerá no Oriente daqui a uma semana, muito importante para a nossa editora, a Jack Book?

– A Book Show de Hong Kong, a feira de livros mais importante do mundo – respondeu S1.

– V.G.B.! *Very Good Boy*! Seu olho gigante o faz enxergar mais longe que os outros. Como seu pai e criador.

S1 acenou convencido e Jack prosseguiu:

– Estou certo de que faremos A Volta ao Mundo rapidamente e, no meio do caminho, vamos arrumar tempo para prestigiar a Jack Book no lançamento da linha completa de livros da nossa língua, o stressês. E posso garantir que será uma das grandes atrações da feira de Hong Kong, OK?!

Deu uma rodopiada e, por alguns instantes, seu rosto se refletiu no espelho gigante no fundo do recinto. Momentos depois, encerrou sua fala, em tom de discurso.

– Meus comandados, quando levantarmos voo, darei mais alguns detalhes de nossos planos! Mas o importante é que já estamos prontos para provar ao Brasil e ao mundo que o português está com os seus dias contados. O stressês é a língua que todos precisam aprender. O stressês vencerá! E nossa editora vai vender muitos livros e dicionários. Vamos ganhar dinheiro como nunca!

Diante dos aplausos dos Stress Boys, Jack estampou um sorriso vitorioso.

No último dia de treinamento, Helô acordou seus colegas, recitando a célebre estrofe d'*Os lusíadas* que fala da coragem dos navegadores portugueses. A garota falava mais perto do ouvido de Mano-Loco:

As armas e os barões assinalados,
Que da ocidental praia Lusitana,
Por mares nunca de antes navegados,
Passaram ainda além da Taprobana,
Em perigos e guerras esforçados,
Mais do que prometia a força humana,
E entre gente remota edificaram
Novo Reino, que tanto sublimaram;

Mano-Loco, sentindo o sopro que vinha da boca da garota, suspirou e disse um enigmático:

– Huummmmm!

– O que é isso, Maninho, o suspiro de um menino apaixonado? – perguntou Helô, melosamente.

– Não, eu estava é sonhando com um sanduíche de repolho – disfarçou, com o rosto vermelho como pimentão.

Mestre Alceu então interveio e disse, bem-humorado:

– Bela inspiração! Helô, é bom levarmos um exemplar d'*Os lusíadas* conosco, pois certamente poderá nos ajudar a decifrar o código usado por Camões nas pistas que encontrarmos.

– Mas como poderia ser esse código secreto? – interpelou Helô.

– Não sei ao certo, mas acho que o poeta nos reservou muitas surpresas por aí.

Todos suspiraram em uníssono. Aquele código adicionava um mistério ainda maior, que os deixava mais ansiosos pelo que estava por vir.

Em duas semanas, Mano-Loco, Helô e Tobi, com o apoio sempre preciso de Luzia, haviam estudado cartas meteorológicas, recebido instruções de copilotagem e praticado técnicas de sobrevivência na selva e no mar. Fizeram sessões diárias de ioga para manterem a calma em momentos de grande tensão. Mano-Loco foi preparado para algumas situações de emergência. Aprenderam a usar o rádio de comunicação com o Ícaro, que funcionaria melhor do que os celulares, que não teriam sinal em muitos pontos do globo. Enfim, treinaram tudo, de mergulho a alpinismo.

Já era véspera do início da Volta ao Mundo. Mestre Alceu, então, convocou todos para uma reunião na sala central.

Em meio ao silêncio geral, ele deu várias informações e, ao final, disse:

– Jovens, sei que todos ainda estão abalados com o que aconteceu com a professora Felícia, mas não podemos desanimar nem dar força ao inimigo. Tenho tentado encontrá-la, mas ninguém sabe para onde ela foi. Bem, vocês já estão prontos para essa missão. Estão mais do que preparados para enfrentar qualquer desafio. Sendo assim, os treinamentos estão encerrados. Arrumem os materiais para a viagem e os coloquem agora no avião.

Mano-Loco levou sua pequena bagagem para o Ícaro. O avião não tinha a imponência do jato dos rivais, mas aparentava ser bem versátil. Ao entrar na cabine da aeronave dos Natos, o menino sentiu-se arrepiado, e um estranho sentimento tomou conta do seu corpo. Enquanto ajeitava seus pertences, Tobi chegou trazendo sua mala e uma estatueta talhada em madeira.

– O que é isso?

– É *O Pensador*, uma figura sagrada para nós, angolanos. Ele nos ajuda a encontrar uma saída quando estamos em apuros – explicou, colocando a peça junto ao painel de controle.

Mano-Loco sorriu e acrescentou:

– Se cairmos em uma selva, pode calhar. Mas eu acredito mais no meu equipamento de emergência – disse, colocando no bagageiro uma maleta misteriosa.

– Equipamento de emergência, na selva?

– É! – exclamou Mano-Loco. – Acho que encontrei a chave para me defender de bicho feroz e, principalmente, de gente trapaceira. – completou, enigmaticamente.

De repente, Tobi começou a passar mal. Viu o amigo grande, depois médio, depois pequeno. Até que Mano-Loco, tão grande que era... Não, agora nada mais era... Ele... apenas... sumiu...

Tobi desmaiou e teve de ser acudido pelo amigo. O que teria

acontecido? Será que ele comera alguma coisa estragada? Ou estava nervoso com aquela missão?

Levado para a base dos Natos, Tobi recebeu um diagnóstico trágico de Helô.

– Ele está bem doentinho. Ainda não sou doutora, mas já posso dizer que ele está com uma gripe muito forte e febre alta.

As suspeitas da menina acabaram se confirmando com a chegada de um médico. Tobi estava com uma virose e não poderia viajar. Teria de ficar em repouso. E agora? O que os Natos deveriam fazer?

– Precisamos encontrar alguém para substituir o Tobi. Não podemos viajar com apenas três pessoas! – decretou Mestre Alceu.

Mano-Loco não disse nada. Pensava em uma saída.

– Tadinho do Tobi – lamentou Helô, fazendo um cafuné no amigo, que dormia. – Mas tenho certeza de que ele vai ficar bem.

Mano-Loco levantou-se e começou a andar pela sala de comando. Sua cabeça não parava de pensar. Sua respiração acelerou.

– Puxa, se aquele portulábio aparecesse, talvez trouxesse uma solução mágica – disse Luzia.

Mano-Loco, então, deu um pulo e gritou, apontando para a companheira carioca:

– Dá-lhe, garota! Isso mesmo, Luzia! O portulábio! Alguém deve ter achado o portulábio e ainda não se tocou! Já que Jack Stress não faz questão desse objeto, vamos substituir o Tobi por aquele que estiver com o portulábio. Vamos fazer uma convocação pela internet agora mesmo!

Imediatamente, os Natos fizeram a convocação por meio de um programa chamado “tempestade”, pelo qual enviaram mensagens a estudantes de todo o Brasil.

Ei, você que está aí lendo esta mensagem. Se por acaso encontrou um objeto chamado portulábio, está convocado a fazer parte da missão dos Natos pelo mundo, contra a s.s.s., em busca de um tesouro. Sabemos que o portulábio não é uma simples casca de árvore. Dê um jeito de embarcar para Fernando de Noronha agora, já que A Volta ao Mundo começa amanhã às oito horas. Precisamos que chegue antes desse horário. Não se preocupe, você receberá treinamento a bordo do Ícaro e no decorrer dessa longa jornada. Afinal, se o portulábio foi parar nas suas mãos, é porque você gosta de ler, porque é uma pessoa inteligente, informada e está bastante preparada para receber nossas instruções. Você vai tirar de letra esta missão. E não se esqueça do portulábio. Venha logo!

Ah, seu nome entre nós será **Agente E** (E de Especial, sempre pronto para entrar em ação!).

Contamos com você! Até amanhã!

Os Natos

Será que os Natos embarcariam nesta desafiadora viagem sem um substituto à altura de Tobi? Será que esse portulábio teria realmente efeitos mágicos? Todos estavam preocupados. Tobi, triste por não poder participar da missão, ainda tinha febre.

Após o jantar, Mestre Alceu deu as últimas recomendações e aproveitaram para checar as notícias. A busca não foi nada animadora. Os jornais e portais destacavam o estranho comportamento da professora Felícia: "Embaixadora da língua portuguesa desmoraliza seu idioma" – era o que mais se lia. O mundo continuava comentando as palavras bombásticas da professora timorense, que não dera mais nenhum sinal de vida. Com apenas três integrantes, cheios de incerteza, os Natos pareciam entrar na disputa com o pé esquerdo.

Caro leitor, ou melhor, Agente E, faço uma pausa nesta história e peço a sua ajuda. Imagine que você tem um portulábio em seu poder. A partir de agora, não perca tempo. Vamos, sua participação será decisiva para o desafio dessa turma. Fique atento às mensagens que aparecerão em código ao longo desta aventura, acredite na sua capacidade de sonhar e mudar este mundo, e embarque no Ícaro com os Natos! Até amanhã, em Fernando de Noronha!

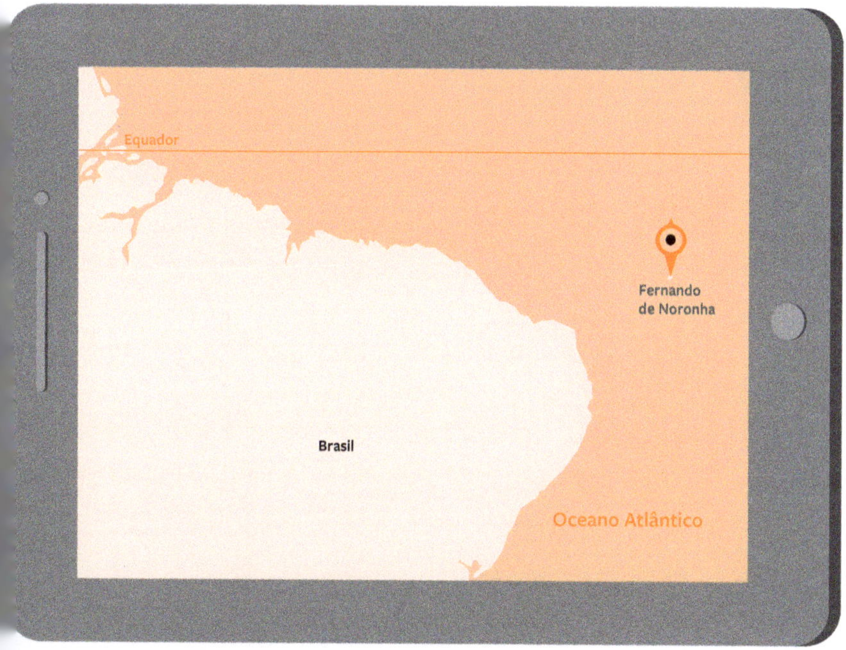

Começa A Volta ao Mundo 7

Faltavam apenas cinco minutos para as oito horas da manhã do dia 7 de março. A Volta ao Mundo estava prestes a começar. Naquele momento, Mestre Alceu, Mano-Loco e Helô já estavam em seus assentos dentro do avião, com os cintos de segurança afivelados. Estavam com um integrante a menos.

Quando ninguém mais acreditava, Agente E apareceu, com uma mochila nas costas e o portulábio na mão, vindo do continente em um bimotor. Os Natos agiram rápido, abriram a porta e saudaram a pessoa que eles tanto aguardavam e que agora passava a integrar a equipe:

– Agente E, suba a bordo, rápido!

Agente E entrou na aeronave, abraçou seus companheiros, ocupou seu assento atrás de Mestre Alceu, ajustou o cinto de segurança e... ufa... pronto! Estava participando da Volta ao Mundo. O portulábio era seu passaporte. Agora Agente E era um dos Natos!

O grupo finalmente pôde ver o tal portulábio, um pequeno artefato feito à mão.

– Que genial! – gritaram todos, enquanto Mano-Loco manuseava o instrumento feito pelo poeta. A parte central estava apodrecida, o que parecia ser um sinal da ação do tempo.

– Que lindinho! – completou Helô.

– Isso não parece ser uma coisinha ridícula, como disse Jack Stress. – observou Mestre Alceu. – Jovens, algo me diz que temos de acreditar na magia deste portulábio!

Ícaro estava pronto para partir: o sol aquecia suas asas e o entusiasmo de todos. A expectativa aumentou quando Mestre Alceu ligou o motor. As turbinas quase não faziam barulho, zumbindo como uma abelha. O piloto levou Ícaro até uma faixa amarela na extremidade da pista. O quarteto olhou para a frente e respirou fundo. Um oceano de emoções os aguardava!

Ao lado deles, rosnavam nervosamente as turbinas do jato da S.S.S. Jack Stress pilotava a aeronave e a conduziu até a faixa de largada.

Da base dos Natos, Luzia já estava conectada ao avião. Do outro lado da pista, os integrantes da equipe da S.S.S. escutavam atentos, pelos fones de ouvido, as palavras de Jack Stress.

Repórteres e autoridades ocupavam as dependências do campo de pouso. O país inteiro estava com os olhos voltados para a aventura, assistindo à partida dos participantes da Volta ao Mundo. O ministro Freitas surgiu na tela com ares de imponência. Ajustou os óculos e começou seu discurso. As imagens chegavam aos dois aviões e as palavras do ministro ressoavam nos alto-falantes instalados na ilha.

– Senhoras e senhores! Natos e S.S.S.! A Volta ao Mundo demonstrará na prática...

Enquanto o ministro continuava toda aquela ladainha, Mano-Loco conclamou seus colegas para que todos dessem as mãos, formando uma grande corrente, e gritassem juntos:

– Natos, Natos, Natos, havemos de vencer!

– E se a S.S.S. apelar, vai feder! – completou Mano-Loco.

Ninguém entendeu bem a última frase do garoto, que tinha muita vontade de enfrentar o temível rival.

No seu avião, os Stress Boys gritavam palavras de ordem contra os Natos. Jack Stress, então, berrou:

– Vamos dar um nome para o nosso jato. Se o avião deles é o Ícaro, o nosso será o Adamastor, OK?!

– Por que Adamastor?

– Soube que, para o tal de Camões, Adamastor era um gigante, um monstro que apavorava os navegantes portugueses. Agora é nossa vez de assustá-los, OK?!! Hahahaha.

No pátio do aeroporto, alguns minutos depois, o ministro finalmente concluía seu discurso.

– Vamos dar a largada da Volta ao Mundo. Espero que uma das escolas encontre o tesouro. Boa sorte a todos e que vença a melhor!

O chefe da comissão organizadora deu início à contagem regressiva:

– Cinco, quatro, três, dois, um...

O estrondo de um tiro, disparado por uma fragata, anunciou a largada. Receberam um envelope lacrado e fecharam a porta do Ícaro. Helô rasgou-o e todos ficaram arrepiados. A expectativa era enorme.

A menina pegou o papel preparado pela comissão da Volta ao Mundo e leu a mensagem inicial deixada pelo poeta:

"Em dez terras do nosso mundo, mensagens em código levarão ao tesouro que vos deixei. Ficai sempre atentos à cruz dos templários. E se realmente acreditais na força da vossa língua, o portulábio vos ajudará. Dou-vos abaixo o caminho inicial para essa longa jornada, nos versos d'*Os lusíadas*:"

Por seu **Rei** **natural** *este* *excelente*
Príncipe, que *do peito tanto* *amavam;*
E diante *do exército* *potente*
Dos inimigos, gritando, **os céus tocavam,**
Dizendo em alta voz: Real, real,
Por Afonso, alto Rei de...!

– Mas e o restante da frase? – perguntou Agente E.

– É o que temos de decifrar. Deve estar no tal código que o Camões falou – deduziu Mestre Alceu.

– Que formato esquisito tem este poema – observou Mano-Loco.

– Nossa! Rei? Afinal, onde será nossa primeira escala? – perguntou Agente E.

– Fácil! É verso, deve ter rima! Real, real... Portugal! A próxima mensagem está no meu país! – gritou Helô.

– É, realmente não foi difícil decifrar isso! Barbada mesmo! Mas agora é que vem o mais difícil. Em que lugar de Portugal? – indagou Mestre Alceu.

Naquele instante, Adamastor, o jato da s.s.s., com força total e rugindo as turbinas, sumiu no horizonte.

– Ué, será que eles já sabem para onde ir? – perguntou Helô, surpresa com a rapidez dos adversários.

– Então, vamos embora, que o resto da mensagem nós podemos decifrar no caminho – disse Mestre Alceu. – Vamos para o Hemisfério Norte, rumo a Portugal!

Ícaro moveu-se e iniciou a decolagem. Em poucos segundos, o avião ganhou os céus do Atlântico. Os Natos partiam em direção aos diversos destinos que o poeta havia deixado nas suas mensagens. Ícaro ganhou altura e subiu a quatro mil pés. O Arquipélago de Fernando de Noronha transformou-se em um colar de esmeraldas que, aos poucos, misturou-se à imensidão do mar.

Teriam de cruzar o Atlântico para chegar a Portugal. Mas em que lugar da terra de Camões estaria a primeira mensagem? Em Lisboa? No Porto? Ou em um pequeno vilarejo? Mano-Loco pegou novamente a mensagem e os Natos voltaram ao trabalho de decifrá-la:

– Quem é esse tal de Afonso?

– Ora, é Afonso Henriques! – exclamou a menina. – O primeiro rei! Camões está contando como foi uma batalha em que Afonso Henriques venceu os árabes.

– E foi assim que nasceu Portugal? – perguntou Agente E.

– Não, o país nasceu antes – explicou Helô. – E vocês podem imaginar contra quem foi a batalha da independência?

– Hum... Contra os bárbaros! – arriscou Mano-Loco.

– Errou feio. Afonso lutou contra a mãe dele!

– Você deve estar brincando! Contra a mãe dele? – perguntou Agente E, sem conseguir acreditar.

– É. A mãe dele! Afonso Henriques não aprovava nadinha do que ela andava fazendo nas terras em que ele nasceu. Assim, aos 18 anos, ele se rebelou e decidiu criar uma nova nação. Portugal nasceu quando Afonso Henriques derrotou as tropas de sua mãe, depois de uma dura batalha.

Os jovens tripulantes do Ícaro ouviam atentamente a narração da companheira, que, empolgada, continuou:

– Bem, voltando à luta da independência, Afonso Henriques tratou também de comandar a expulsão dos árabes, que ocupavam o sul das suas terras. E, justamente antes de começar uma grande e decisiva batalha, ele foi aclamado o primeiro rei de Portugal.

– Então, Helô, é dessa batalha que Camões está falando?

– Isso mesmo, seu louquinho. Afonso Henriques ia enfrentar os exércitos de cinco reis mouros. Estava, portanto, em tremenda desvantagem. Mas, segundo a lenda, ele teve uma visão de Cristo, o que o teria motivado a enfrentar os inimigos da fé cristã. Daí o poeta referir-se a um milagre, pois o jovem rei deu a maior sova nos inimigos.

– Esse cara era uma fera! – exclamou Luzia, da base. – Mas para onde é que o nome dele deve nos levar?

Mano-Loco olhou para a folha de papel que estava com Helô e, ao pegá-la, um pouco sem jeito, sentiu um arrepio só de tocar nas mãos da menina. Ainda desconcertado, examinou os versos do poeta e depois disse:

– Vejam que foi destacado "Rei natural". É uma pista. Helô, onde nasceu Afonso Henriques?

– Dizem que ele nasceu em Guimarães.

– Guimarães?

– Sim, essa cidade é considerada o berço de Portugal.

– Então, está na nossa cara: tudo nos leva a Guimarães! Só pode ser! Pessoal, encontramos o local onde está a nossa primeira mensagem! – exclamou Mano-Loco.

– Sensacional, jovem. Mas em que lugar da cidade? – questionou Mestre Alceu, dando continuidade à decifração daquele enigma inicial.

– Acho que os versos dessa estrofe dão a pista final no trecho "os céus tocavam", que também está destacado – disse Agente E.

– Céus tocavam... Hum, Afonso Henriques nasceu em um castelo – comentou Helô.

– Castelo! – gritou Mano-Loco. – Vejam que, nesta carta, os versos foram escritos na forma da torre de um castelo. A mensagem deve estar em alguma torre deste castelo. E, ao dizer "céus tocavam", creio que ela esteja na torre mais alta!

– Dá-lhe, Natos! O Castelo de Guimarães! É para lá que vamos! – gritou Agente E.

– Estamos aprendendo a decifrar o código de Camões! – festejou Mano-Loco.

Em meio à comemoração, Mestre Alceu consultou o mapa e disse:

– Creio que não vale a pena descer em Lisboa. Sugiro que aterrissemos no Porto, que fica bem mais perto de Guimarães, no norte do país.

Informaram a base sobre seus progressos e fizeram uma pausa para descansar, enquanto o avião ia em direção a Portugal.

Após horas de voo, nas quais eles aproveitaram para conhecer melhor Agente E, uma voz feminina quebrou o silêncio da cabine, trazendo péssimas notícias:

– Atenção, Ícaro! Aqui é Luzia, da base de Fernando de Noronha. O aeroporto da cidade do Porto está fechado devido ao mau tempo! E os nossos rivais acabam de pousar em Lisboa. Não há escolha. Vocês também terão de aterrissar lá.

– Já chegaram!? – exclamou Mano-Loco.

– Não se preocupem, já estamos próximos de Portugal – disse Mestre Alceu, acalmando a todos.

– Mas não vamos perder muito tempo se descermos em Lisboa e pegarmos um trem? – perguntou Helô.

– E como! De Lisboa até o Porto vão levar três horas – respondeu Luzia. – No Porto, ainda deverão pegar outro trem até Guimarães. Assim, seguramente, não levarão menos de cinco horas! E vocês terão de encontrar a primeira mensagem ainda hoje, para amanhã cedo partirem para a próxima etapa.

Mestre Alceu entrou na conversa novamente para lembrar a todos de um ponto importante:

– Jovens, lembrem-se de que o avião deles só pode descer em aeroportos grandes, como o de Lisboa. Mas o nosso é um hidroavião! Devemos tirar proveito disso! – exclamou. – Vamos procurar outro lugar para descer, mais próximo de Guimarães. Luzia, verifique as condições dos aeroportos menores ou algum rio que não seja encachoeirado. O Ícaro precisa de apenas trezentos metros para pousar!

Adamastor podia viajar durante a noite inteira. O Ícaro, não. Assim, para compensar essa desvantagem e poder partir na frente para a segunda etapa, precisavam recuperar o atraso em relação aos rivais e chegar a Guimarães antes deles.

Naquele momento, o apito de uma buzina chamou a atenção dos Natos para o computador. Uma mensagem de Jack Stress acabara de chegar. A mensagem era muito provocante:

Os Natinhos estão atrasadinhos, OK? Puxa, estou com tanta pena. Já no começo estão ficando para trás. Isso está me cheirando bem. Sim, uma vitória muito fácil, seus bobocas!
Jack Stress

– Ele está a fim de zombar da gente! – protestou Helô.

Mano-Loco não perdeu tempo e respondeu à mensagem eletrônica de Jack:

Você vai ver o que é cheirar bem! Aguarde!

Os Natos

– Que história é essa, Mano-Loco? O que você está aprontando? – perguntou Mestre Alceu.

– Hahahaha! Sur-pre-sa!

O clima de mistério foi quebrado por um novo contato, agora em vídeo:

– Base chamando – irrompeu Luzia, otimista. – Temos uma possibilidade de cortar caminho e ultrapassar Jack Stress. Coimbra, no centro de Portugal, tem um campo de pouso, o que reduzirá quase pela metade o percurso até Guimarães.

– Então, vamos sobrevoar Lisboa, seguir pelo litoral e na altura de Coimbra entramos no continente – sugeriu Mestre Alceu, com a carta de navegação nas mãos.

A costa portuguesa despontou no horizonte. Lisboa estava com o céu parcialmente encoberto. Pediram autorização para o controle de tráfego, diminuíram ainda mais a altitude e puderam vislumbrar o belo visual que a cidade proporcionava. Viram a deslumbrante Ponte 25 de Abril, que liga a capital à cidade de Almada, de onde um enorme Cristo Redentor saúda os viajantes depois da travessia sobre o Atlântico.

O Ícaro tomou a direção oeste e sobrevoou a conhecida Torre de Belém, local de onde Vasco da Gama partira rumo às Índias. Depois, passaram sobre várias cidades de veraneio e subiram em direção ao norte, sempre pela costa.

Subitamente, Mestre Alceu gritou:

– Estamos perdendo potência!

Por um momento, os tripulantes do Ícaro ficaram paralisados. Agente E, ao checar o painel, disse:

– A radiação está fraca. É inverno aqui em Portugal e, com a forte nebulosidade, a captação de luz solar está baixa.

– Então teremos de fazer um pouso de emergência? – perguntou Mano-Loco.

– Não há alternativa. Devemos ficar no litoral porque, em última hipótese, pousaremos na água. É perigoso, pois o mar está revolto, mas é melhor do que tentarmos a sorte interior adentro – constatou Mestre Alceu, preocupado.

O Ícaro continuava a perder altitude. Novecentos pés, oitocentos pés, seiscentos pés...

– Quinhentos pés – observou Mano-Loco.

– Vamos tentar pousar no mar! – sentenciou Mestre Alceu. – Apertem bem os cintos e coloquem os coletes salva-vidas!

Então, Agente E gritou com uma expressão de pavor ao arriscar uma olhada pela janela:

– Olhem o tamanho das ondas! Nosso avião não vai aguentar o impacto contra o mar. Nós vamos nos espatifar!

Mensagem escondida no castelo

8

– Vejam, águas calmas! – exclamou Mestre Alceu, ao inclinar o avião para o lado direito. – Deve ser uma baía!

O piloto manobrou o avião bruscamente em direção à baía salvadora. O Ícaro tocou seus flutuadores em águas portuguesas, subiu e desceu várias vezes até que, finalmente, pousou em "água firme".

– Puxa, essa foi por pouco! – disse Mano-Loco.

– Bota pouco nisso! – concordou Agente E.

– O importante é que estamos vivinhos – concluiu Helô, sempre otimista.

O avião flutuou em segurança em um braço do mar colorido por barcos semelhantes às gôndolas de Veneza, deu meia-volta e dirigiu-se para um pequeno cais ao lado de uma estrada. Logo à frente dos viajantes recém-chegados, erguia-se uma espécie de comitiva de boas-vindas: prédios de restaurantes, aconchegantes casinhas de pedra, igrejinhas que pareciam de brinquedo de tão pequeninas que eram e, mais adiante, um estaleiro. Estavam em uma cidade de pescadores no litoral de Portugal.

Os Natos saíram "voando" do avião. Suas pernas formigavam, num misto de alívio e de emoção por chegar à Europa. Apesar do tempo encoberto e do mar agitado, não chovia.

– *Ó pá*, bom dia! De que terra vieram nesse avião tão engraçado? – gritou um homem de aspecto jovial e postura atlética.

– Estamos chegando do Brasil – respondeu Mano-Loco.

– *Bestial*! – disse, admirado. – Ah, permita que eu me apresente, meu nome é Lelo.

Entraram em uma animada conversa com aquele homem de meia-idade, que trabalhava como moliceiro. Orgulhava-se de seu barco fartamente ornamentado, em cuja proa se destacava um majestoso galo de Barcelos, símbolo de Portugal.

– Onde, afinal, estamos? – perguntou Agente E.

– Na ria de Aveiro – respondeu o português.

– Aveiro! A Veneza portuguesa! – exclamou Helô.

– Sim, é minha terra. É um sítio muito *giro*, lugar muito legal!

– Ria? De quem? Do Mano-Loco? – alfinetou Mestre Alceu.

– Não, *ria* significa um mar fechado, parecido com uma lagoa – explicou Lelo. – Pode ser uma baía.

– Engraçado, *ria*... Já vi essa palavra, acho que em algum comunicado – comentou Mano-Loco.

– Jovens, a conversa está muito boa, mas vocês precisam correr, já que o pessoal do Jack Stress deve estar a caminho de Guimarães. Vou ficar aqui para checar todo o equipamento – disse Mestre Alceu, olhando o relógio. – O tempo voa e aqui já são cinco horas da tarde.

– Guimarães fica muito longe daqui, Seu Lelo? – perguntou Agente E.

– Não. E vocês podem viajar em *comboios eléctricos*, trens elétricos. Terão de ir primeiro até o Porto, trocar de estação lá e então embarcarem para Guimarães. O próximo comboio expresso para o Porto, o "foguete", passará daqui a pouco.

– Mas como nós faremos para ir à estação aqui de Aveiro? –

perguntou Mano-Loco, enquanto colocava na sua mochila uma lanterna, seu rádio com câmera digital, uma corda e a maleta com o seu misterioso equipamento de emergência.

– É mais fácil irmos no meu barco moliceiro.

– Obrigado, Seu Lelo – agradeceu Mano-Loco. – A propósito, o que é barco moliceiro?

– É um barco usado para colher algas, utilizadas como fertilizantes, *estás a perceber*?

– Ah, entendo. Mas por que vocês falam *a perceber* em vez de *percebendo*? – perguntou Mano-Loco.

– Ai, Jesus... Vocês, brasileiros, têm mania de usar gerúndio em todas as frases! Chegam a abusar. É um *disparate*!

Mestre Alceu tratou de apressar os companheiros:

– Mano-Loco, chega de perguntas. Se tiverem sorte, levarão oito horas para ir e voltar! Portanto, corram! – disse, enquanto se despedia dos garotos. – Agente E, não deixe de levar o portulábio. Ele pode ajudar! – completou.

Em menos de 30 minutos, estavam a bordo do "foguete", a caminho do Porto. O trem avançou rapidamente, passando por várias vilas. Cruzaram o Rio Douro, onde puderam ver os enormes armazéns do célebre vinho do Porto, que mais pareciam tanques gigantes de uma refinaria de petróleo e, finalmente, chegaram à estação de Campanhã.

Mal o encarregado abriu a porta, com o trem ainda em movimento, o grupo quase se atirou na plataforma, voando em direção à *paragem*, onde um ônibus elétrico estava prestes a partir para a pequena estação de trem que fazia a ligação com Guimarães. Subiram no *autocarro* de dois andares, e a porta automática se fechou atrás dos Natos.

No trajeto, puderam deleitar-se com incontáveis monumentos, igrejas, ruas estreitas e casas típicas, onde vizinhos conversavam de suas janelas, frente a frente, como se estivessem em duas poltronas na mesma sala. Também passaram por um mercado, onde, aos gritos, peixeiras vendiam sardinhas e bacalhau.

E, na disputa por clientes, trocavam insultos, o que fez Mano--Loco delirar.

– O meu peixe é melhor que o teu, *aselha*! Tola!

– Cala-te, tu és um *calhau de um olho só*, uma *zarolha*!

Depois de passar pela Igreja da Trindade, o *autocarro* chegou ao seu ponto final.

– Vamos direto à bilheteria. Temos de pegar o trem para Guimarães na plataforma quatro em cinco minutos! – gritou Agente E, depois de consultar o painel eletrônico.

Com muita correria, conseguiram embarcar. Eram sete horas da noite e estavam no comboio rumo à cidade em que nasceu Afonso Henriques.

Sentados na *carruagem* dois, os Natos conversavam animadamente, quando um garoto de olhos e ouvidos atentos como um radar intrometeu-se na conversa e perguntou, sorrindo:

– Vocês são brasucas, não são?

– Viemos do Brasil – respondeu Helô, que em seguida apresentou o grupo.

– *Fixe*, legal! E eu me chamo João. Mas o que fazem cá?

– Temos de encontrar uma mensagem no Castelo de Guimarães – explicou Mano-Loco.

Os olhos do garoto brilharam de interesse. Naquele instante, um vendedor de sorvetes passou e Mano-Loco não perdeu tempo:

– O senhor tem sorvete, ou melhor, *gelado* de chocolate?

O homem balançou a cabeça afirmativamente e, depois de alguns segundos em silêncio, foi embora. Helô riu e deu um conselho ao colega:

– Cuidado ao falar com os portugueses, porque eles costumam levar as expressões ao pé da letra. O vendedor entendeu que você só queria saber se ele tinha sorvete de chocolate e nada mais. Você precisava ter sido mais direto. É apenas uma questão cultural.

Os demais garotos riram e seguiram a viagem conversando com João, que estava louco para ajudar os novos amigos.

A estrada de ferro era sinuosa e, em uma curva mais acentuada, uma agitação no vagão da frente chamou a atenção de Mano-Loco. Um grupo de adolescentes gesticulava nervosamente apontando para eles. Ao lado daqueles moleques estava um homem alto e forte. Não havia dúvida! Era...

– Jack Stress! Os Stress Boys! – gritou.

– Essa não! Eles estão no mesmo trem que nós! – lamentou Agente E. – Vamos chegar juntos ao local onde está a mensagem.

– Isso não podia ter acontecido. Precisávamos estar na frente – completou Helô.

– Não te preocupes, *ó pá*! – disse João, com firmeza. – Tenho uma ideia para chegar mais rápido ao castelo.

Mano-Loco pensou em usar o seu equipamento de emergência, porém ali, diante de todo aquele povo, ia acabar atingindo gente que não tinha nada a ver com a história.

Os Natos ouviram atentamente o plano de João, cuja expressão era cheia de astúcia.

– Vou usar o *telemóvel*, celular, para *contactar* o meu tio Vito, que mora em Guimarães. Ele é muito *fixe* e faz todas as minhas vontades. Vou pedir que deixe a *carrinha*, perua, dele no meio da rua, como se estivesse avariada. O trânsito vai ficar *condicionado*, congestionado, e esses *aldrabões*, vigaristas, da s.s.s. não conseguirão sair da estação. Enquanto isso, nós pegamos a bicicleta para quatro pessoas do meu tio e passamos pelos carros. Chegaremos ao castelo primeiro!

– Boa, João! Para enfrentar Jack Stress, não se pode mesmo ser bobo. – disse Mano-Loco.

Meia hora mais tarde, quando o companheiro português já havia combinado os detalhes com seu tio, avistaram a pequena estação. Do lado de fora, um festival de buzinas indicava que o plano estava dando certo. Mais uma vez, pularam na plataforma enquanto o trem ainda estava em movimento. Correram para a rua onde tio Vito já os aguardava. O tio de João os saudou calorosamente e os ajudou a subir rapidamente na bicicleta. O grupo saiu pedalando a mil, quase voando.

Havia também transporte à espera dos rivais. Uma limusine branca com detalhes dourados reluzia à frente da estação. O motorista, que parecia um boneco de corda, gesticulando suas luvas brancas, mal teve tempo de avisá-los sobre o trânsito.

– Castelo! S.P.T. – ordenou Jack Stress, aos berros, usando uma palavra do stressês que significava Sem Perder Tempo.

No entanto, a limusine não podia sair do lugar. Estavam presos. Os Natos, que já se afastavam da estação, ainda puderam assistir a Jack Stress enfiando a mão na buzina e gritando com os demais motoristas.

E, ao ver os Natos se distanciando, Jack vociferou:

– Vocês não perdem por esperar, S.G., *Stupid Guys*, garotos idiotas! A coisa vai feder!

– Ah, se vai! Ah, se vai! – respondeu Mano-Loco aos rivais, às gargalhadas.

Do alto da rua, sentiram um arrepio ao verem o castelo, localizado em uma colina com árvores frondosas, logo atrás do centro. Contudo, a alegria durou pouco. De repente, deram de frente com uma multidão que entupia a avenida e as calçadas, bloqueando até mesmo a bicicleta do quarteto. Tiveram de parar, pois era impossível cruzar aquela parede humana sem fim. Assistia-se a uma corrida muito divertida de jovens com "muletas gigantes", que iam em direção ao centro histórico da cidade.

– Olhem! Uma corrida de andas! – gritou Helô.

– Corrida de *antas*? – perguntou Agente E.

– Não, brasucas. É corrida de andas! Com D – corrigiu João.

– É isso aí. É uma prova muito popular aqui em Portugal!

Naquele mesmo instante, dois *putos*, isto é, dois meninos, trombaram um no outro e resolveram desistir da corrida, bem em frente ao grupo. Mano-Loco e Agente E não hesitaram: desceram da bicicleta, pegaram emprestados os pares de pernas de pau e entraram na disputa.

– Cuidado, seus louquinhos! – recomendou Helô.

– Até já, amigos! – responderam do alto das andas.

Daí em diante, foi só emoção. A dupla cruzou o centro histórico, que remontava aos tempos medievais. Mano-Loco e Agente E deram uma exibição de equilíbrio – pularam correntes, desceram escadas e ultrapassaram várias pessoas. Fizeram muita gente sentir frio na barriga. Quando estavam perto do castelo, aproveitaram uma brecha na multidão, saíram da disputa, deixaram as andas com a organização da corrida e seguiram por um caminho de cascalho que passava diante de uma pequena capela. Finalmente, chegaram ao castelo. E mais um susto.

– Essa não! Está fechado! – gritou Agente E, com uma expressão de desapontamento.

Mano-Loco pensou rápido: pegou uma corda da mochila, fez um laço e atirou-o contra uma saliência bem no alto da muralha. Com muito esforço, conseguiu chegar ao interior do castelo, acompanhado pelo Agente E.

Seguiram, então, para a torre central. A noite nublada e a iluminação precária obrigaram o garoto a ligar a sua lanterna-holofote, apontando o feixe de luz para a parte frontal da torre, construída em blocos de pedra.

– Agente E, procure algum sinal da cruz dos templários.

Agente E foi em direção à torre e, após alguns minutos, berrou:

– Não há nada neste lado!

– Então, vamos tentar nos outros lados!

Para complicar ainda mais, começou a chover. E não era uma chuvinha qualquer. Raios chicoteavam Guimarães e seu castelo.

Nas duas faces seguintes, Agente E também não encontrou nada. Mano-Loco acompanhava-o, iluminando o alto da torre. Chegaram ao quarto e último lado.

Naquele instante, Mano-Loco ouviu o barulho de um helicóptero. Só podiam ser Jack e os Stress Boys! Com toda aquela chuva, os rivais se arriscavam a voar em um céu sem visibilidade. Os Natos não podiam facilitar o trabalho dos adversários, indicando onde estava a próxima mensagem do poeta, visto que a s.s.s. deveria perder a noite toda para encontrá-la. Era do que eles precisavam para compensar a desvantagem. Como o Ícaro não podia voar à noite, eles só reiniciariam a viagem na manhã seguinte. Se Jack Stress encontrasse a mensagem logo, iria rapidamente para Lisboa, antes de o sol nascer, e estaria a caminho da próxima etapa na frente dos Natos.

Os relâmpagos começaram a assustar Mano-Loco e Agente E. O barulho do helicóptero dos rivais ecoava na noite de Guimarães. Estavam cada vez mais próximos.

Sobrevoando o deserto

9

No desespero, Agente E pegou o portulábio e o apontou para a torre. Como por sorte, naquele mesmo instante, um raio atingiu o castelo e eles puderam ver algo, uma espécie de mancha. Mano-Loco apontou o holofote em direção a essa mancha nas pedras, e Agente E, chegando mais perto, gritou:

– É a cruz dos templários! – e, praticamente colando seu rosto na parede, completou: – Estou vendo também o desenho de um sino!

– Pode ser uma pista! – exclamou Mano-Loco, que, em seguida, tirou uma foto com a câmera digital do seu aparelho de comunicação, focalizando o desenho.

Foi em tempo, pois naquele momento o helicóptero de Jack Stress preparava-se para aterrissar ao lado do castelo.

– Precisamos detê-los! – disse Agente E, aflito.

– É pra já! – respondeu Mano-Loco, enquanto tirava de dentro da mochila a maleta com o seu equipamento de emergência.

Mano-Loco colocou uma máscara no rosto e deu outra para o colega.

– Vista isto, rápido! Vamos nos divertir um pouco com estes bobocas!

Agente E não entendia o que estava acontecendo. Diante de

seu olhar surpreso, Mano-Loco pegou uma lata enorme de aerossol, que mais parecia um extintor de incêndio, mas com efeito inverso: era para botar fogo nas ideias das pessoas.

– É esse o seu equipamento de emergência?! – perguntou Agente E, meio descrente.

– Veja que espetáculo maravilhoso!

Enquanto corria ao redor das muralhas do castelo, Mano-Loco começou a empestear aquele nobre monumento de Portugal com o seu gás de cheiro insuportável, dando as boas-vindas a Jack Stress e sua comitiva. E o gás saía da lata com tanta força que fazia barulho, transformando aquilo tudo em um espetáculo pirotécnico. Era mais que um festival de rojões e de fogos de artifício. Uma fumaça esverdeada anunciava a loucura que estava por vir. Aquele gás era mesmo um terror, tamanha a rapidez com que se espalhava. O garoto, cada vez mais entusiasmado, não parava de correr, e, quanto mais corria, mais gás esguichava, a ponto de poluir todo o ar de dentro do castelo e próximo a ele. Mano-Loco pulava, subia e descia as escadas, não parava de espalhar seu gás da doideira ao redor das muralhas seculares, feito um maluco, dando escandalosas gargalhadas.

– Tome, Jack Stress! Sempre achei que seus planos não cheiravam nada bem! – e ria com gosto.

Depois de concluir a volta olímpica pelo castelo com sua “tocha” esverdeada, Mano-Loco chamou Agente E para se esconderem dentro de uma guarita. Fizeram daquela velha edificação um camarote para assistir a um espetáculo de doideira.

E foi exatamente o que aconteceu. O helicóptero pousou a poucos metros do castelo, desligou o motor e, tão logo Jack Stress pisou no solo, começou a espirrar.

– Argh! Que cheiro de gases! Quem esteve aqui comeu repolho e... Nem bem havia terminado a frase, desatou a rir freneticamente e a rebolar. Foi seguido pelos seus Stress Boys, pelo motorista da limusine e pelo assustado piloto do helicóptero. E o sexteto começou a brincar de guerra de lama, um emporcalhando o outro. Jack Stress, então, começou a se equilibrar na beirada da muralha, fazendo pose de xícara. Já havia endoidado por inteiro. Tirou a roupa, ficou de cueca e desafiou seus companheiros:

– Deixa essa gincana pra lá! Vamos ver quem diz a maior besteira do dia?

– Ah, eu também quero brincar! – disse o motorista.

– Então vamos brincar de Show do Burrão! – decidiu Jack Stress.

– Vamos! – responderam os outros, que agora faziam uma ciranda ao redor do chefe daquela doideira.

– Sabem qual é a parte do carro que foi depilada?

– Nããããão! – responderam todos em coro, como se estivessem assistindo a um teatro infantil.

– O espelinho.

– Hahahaha. Esta é boa! – riram todos com tamanha besteira.

E, enquanto riam, dançavam e rebolavam até o chão. S1 e o motorista bailavam, às gargalhadas. O piloto do helicóptero babava sem parar. O festival de absurdos ganhava a cada instante mais intensidade. Não parava.

– Qual é a cidade onde os hospitais estão sempre sem soro? – perguntou S2.

– Ah, eu sei, eu sei! – levantou a mão Jack Stress.

– Então diga logo, seu mentecapto – provocou o comandado, em um momento em que todos estavam fora de si e, com isso, ele perdera todo o medo do pai e chefe maior.

– É SoroAcaba!

"Sem comentários" – pensaram Mano-Loco e Agente E, enquanto ouviam as risadas descontroladas de aprovação daquele sexteto que havia pirado por completo. Mano-Loco balançou a cabeça, orgulhoso do efeito do seu gás. Agente E, em estado de choque, olhou para o companheiro e perguntou:

– Esses caras perderam o juízo! Que gás é esse?

– O Popeye não comia espinafre para ficar forte e vencer os inimigos? Pois minha força vem do repolho podre. É a minha arma secreta. Com o repolho podre, criei um gás de enlouquecer. Dele só escapa quem for esperto e estiver usando máscara.

Aproveitando a distração total dos rivais, que certamente ficariam ali por um bom tempo até recobrarem a sanidade, os dois desceram pela corda e sumiram entre as árvores. Mano-Loco e Agente E contornaram o Castelo de Guimarães sem que os adversários os vissem.

"Tomara que não encontrem nada, ou pelo menos percam um bom tempo por aqui" – pensou Mano-Loco.

Ao final da colina, diante de uma estátua de Afonso Henriques, encontraram-se com os amigos:

– Achamos o desenho de um sino junto com a cruz dos templários – disse o garoto, eufórico. – E deixamos Jack Stress doidinho – riu-se, piscando para Agente E.

– Dá-lhe, Natos! Saímos na frente! – comemorou Helô, abraçando João.

– Mas precisamos decifrar o que este sino significa – lembrou Mano-Loco.

– Não quero apressá-los, mas o último comboio para o Porto sai em dez minutos. Se o perderem, só poderão partir amanhã cedo – alertou-os João.

Devido à chuva, o público que assistia à corrida dispersou-se. Com isso, voltaram rapidamente pelas ruas de Guimarães e se despediram de João na estação.

A caminho do Porto, ligaram para Mestre Alceu, contaram as novidades e pediram que Lelo os esperasse na estação de Aveiro. Dito e feito: ao chegarem, às sete horas da manhã, o moliceiro já os aguardava.

– Que bom que tudo deu certo – disse Lelo. – Parabéns por terem atingido vosso objetivo.

– Espero que Jack Stress tenha ficado por lá – disse Mano-Loco.

Atravessaram rapidamente a ria. Seus pensamentos viajavam. Para que lugar do mundo de Camões iriam agora? O relâmpago no Castelo de Guimarães teria sido uma magia do portulábio? Jack Stress conseguiria encontrar a pista do tesouro?

Ao chegarem ao cais onde estava o Ícaro, foram recebidos entusiasticamente por Mestre Alceu. Agradeceram a Lelo e entraram no avião. Enquanto o piloto checava o painel de controle, Mano-Loco descarregou, no computador de bordo, a foto digital que tirara no castelo.

– O que será que este sininho quer dizer? – perguntou Helô, olhando na tela do computador.

– Será que o portulábio pode revelar algo? – indagou Mano-Loco.

Agente E pegou o pequeno instrumento e, ao aproximar a lente vermelha, que também ampliava os detalhes, deu um grito de surpresa:

– Vejam, estes pontinhos que formam o sino, na realidade, são pequeninos números que se repetem... 5-8, 5-8, 5-8!

– O número 5 deve se referir a uma coisa e o 8, a outra – interveio Mestre Alceu.

– Isso pode significar canto quinto, oitava estrofe d'*Os lusíadas*! É assim que se localizam os versos na obra do poeta, que é dividida em dez cantos – deduziu Helô, lembrando-se da carta de Camões.

A menina, então, abriu o livro de Camões e começou a ler baixinho a estrofe citada, para logo concluir em voz alta:

– Entramos, navegando, pelas filhas
Do velho Hespério, Hespéridas chamadas;
Terras por onde novas maravilhas
Andaram vendo já nossas armadas.
Ali tomamos porto com bom vento,
Por tomarmos da terra mantimento.

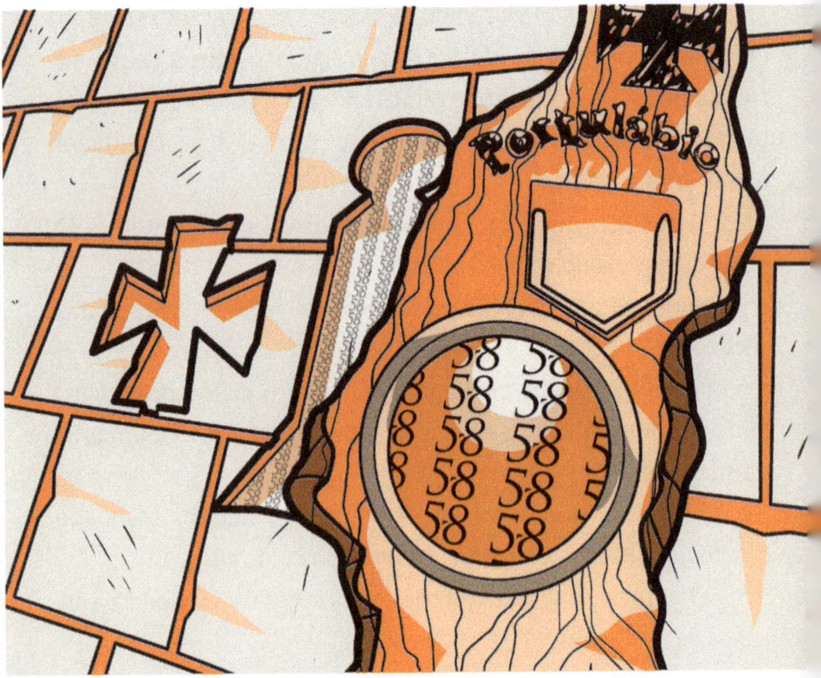

– Uma mensagem em código! – gritou Agente E.

– Certamente! Mas o que seriam Hespéridas?! – estranhou Mestre Alceu. – Que lugar é esse?

Mano-Loco não perdeu tempo:

– Alô, base! Aqui é Ícaro – chamou o garoto pelo canal via satélite. – Luzia, acorde, sei que aí são cinco da manhã.

Depois de alguns instantes, a menina, ainda meio sonolenta, respondeu:

– Aqui base falando.

– Luzia, rápido, pesquise onde ficam as Ilhas Hespéridas.

Alguns minutos depois a garota chamou o Ícaro:

– Olhem no mapa do século XVI. Hespéridas é o nome que Camões usava quando se referia às ilhas de Cabo Verde, onde as caravelas paravam para se abastecer.

– Ah, está na cara. O poeta quer que passemos em Cabo Verde! – deduziu Mano-Loco.

– Jovens, que moleza! As ilhas ficam perto da costa africana – disse Mestre Alceu.

– Então vamos embora. No caminho deciframos em que lugar de Cabo Verde o poeta escondeu a próxima mensagem – concluiu Helô.

– Dá-lhe, Natos! Cabo Verde, lá vamos nós! – gritaram juntos.

Eram oito horas na ria de Aveiro, em Portugal, quando o avião dos Natos decolou em direção à África para um voo de cerca de quatro horas. Inicialmente, sobrevoaram o litoral português e, depois, entraram no continente africano. Passaram pelo Marrocos, onde o soldado Camões, ainda jovem, perdeu seu olho direito em uma batalha contra os mouros.

Daí para a frente, sobrevoaram o Deserto do Saara. O combustível era farto. Sol é o que não faltava! Aproveitando o bom tempo, Mestre Alceu colocou o avião no piloto automático e pôde relaxar um pouco.

Mano-Loco logo caiu no sono e começou a babar. E baba do Mano-Loco era sinal de sonho. E sonho dos bons. Sonhou que ele era um zepelim gigante e alçara voo, levado por um vento forte. Voava sobre o Deserto do Saara. Da sua boca, uma torneira despejava baba rica em nutrientes sobre o árido solo africano. O deserto começou a ficar fértil. Primeiro, oásis brotaram por toda parte, porém logo eram tantos que o Deserto do Saara se transformou em uma grande planície verdejante. Não havia mais fome, todos podiam plantar e colher o seu sustento. De repente, um novo tipo de guerra irrompeu, envolvendo crianças que, armadas de bolinhas de barro umedecido, atiravam umas contra as outras, às gargalhadas, saudando aquela bênção vinda do céu. Mas, como tudo o que é bom dura...

– Plaft! – uma bola de barro acertou... Não, não era uma bola... Era Mestre Alceu arrancando um fio de cabelo, sua mania nada delicada de acordar o garoto.

– Acorda, seu babão!

Final de sonho. Mano-Loco acordou e, antes que reclamasse, puderam ouvir a voz de Luzia vindo da caixa de som e tomando conta de toda a cabine:

– Amigos, Cabo Verde é formado por várias ilhas. E ainda não sabemos onde exatamente está a próxima pista.

– É verdade. São dez ilhas maiores e um montão de ilhotas. A mensagem pode estar em qualquer uma delas – disse Mano-Loco, espreguiçando-se escandalosamente enquanto observava o mapa.

– Luzia, em que lugar do arquipélago as caravelas ancoravam? – perguntou Helô.

– Seus patrícios chegaram ao arquipélago muito antes de "descobrirem", ou, como se fala em Portugal, de *acharem* o Brasil. O principal porto do arquipélago era Ribeira Grande.

– Ah, então é barbada! Descobrimos, ou melhor, *achamos*! – gritou Mano-Loco. – O poeta disse: "Ali tomamos porto com bom vento". Ele certamente se referiu à Ribeira Grande!

– Está bem, está bem, sabichão! Mas ainda não deciframos tudo: em que lugar da cidade? – perguntou Mestre Alceu.

– O sino! Não podemos esquecer o desenho do sino – lembrou Agente E. – Ele pode indicar o local exato da próxima pista.

– É, certamente ele está se referindo a uma igreja – deduziu Mano-Loco.

– Há mais de uma igreja em Ribeira Grande – informou Luzia. – No entanto, logicamente, vocês devem procurar uma igreja que já existia no tempo de Camões. A mais importante daquele tempo é a Nossa Senhora do Rosário.

– Então só pode ser essa igreja! – disse Helô.

– É isso aí, Helô! A mensagem deve estar no sino dessa igreja! – bradou Mano-Loco – Detonamos! Estamos decifrando as mensagens em código que o Camões deixou!

– E essa tal de Ribeira Grande, é a capital? – perguntou Mano-Loco.

– Não, fofo. A capital é a cidade da Praia. E Ribeira Grande hoje se chama Cidade Velha.

– Fo-fo... Essa palavra, não! – exclamou Mano-Loco.

Fofo era a palavra-chave para os seus surtos de cacofonia, quando ele, ao extravasar seus sentimentos, embaralhava as palavras, formando sem querer sons desagradáveis ou bem esquisitos.

– No sonho que tive ontem acho que *vi ela*... Mas eu a perdi. Bem na hora que ia dar um beijo na *boca dela*. Fiz isso tudo *pela dona* do meu coração...

Mestre Alceu não resistiu e descarregou provocações para cima do Mano-Loco:

– *Mano-Loco diz* pela dona *do meu coração!*
Viela *é via pequena, boca dela já é provocação!*
Este brasuca está ficando muito sem noção,
vê se limpa essa boca, moleque, vai lamber sabão!

Mano-Loco, bom repentista, revidou, aproveitando aquele momento de "recreio", quando Mestre Alceu dava espaço para eles se divertirem um pouco:

– *O Mestre está é ficando com uma mania abusada!*
Mas não se iludam, ele também dá muita mancada...
Outro dia, ao ver uma moça de rabo de cavalo, ficou encantado,
mas, quando viu a beldade de frente, era um macho barbado!

Todos se descontraíram com a troca de provocações, porém pararam de rir quando Mestre Alceu levantou a mão direita. Era o sinal para que interrompessem a brincadeira e se concentrassem novamente na missão. Pediu que todos ficassem em silêncio e refletissem sobre todas as dúvidas que cercavam a viagem.

O Ícaro agora se afastava da costa africana, rumo ao sul do arquipélago. Os pensamentos dos Natos voavam na mesma velocidade. Onde estaria Jack Stress naquele momento? Teria superado sua crise de demência com o gás do Mano-Loco? Que outros truques ou magias teria o portulábio? A língua portuguesa estaria viva em Cabo Verde? Aonde o código de Camões os levaria? E Felícia, teria dado mais alguma declaração ou continuava desaparecida?

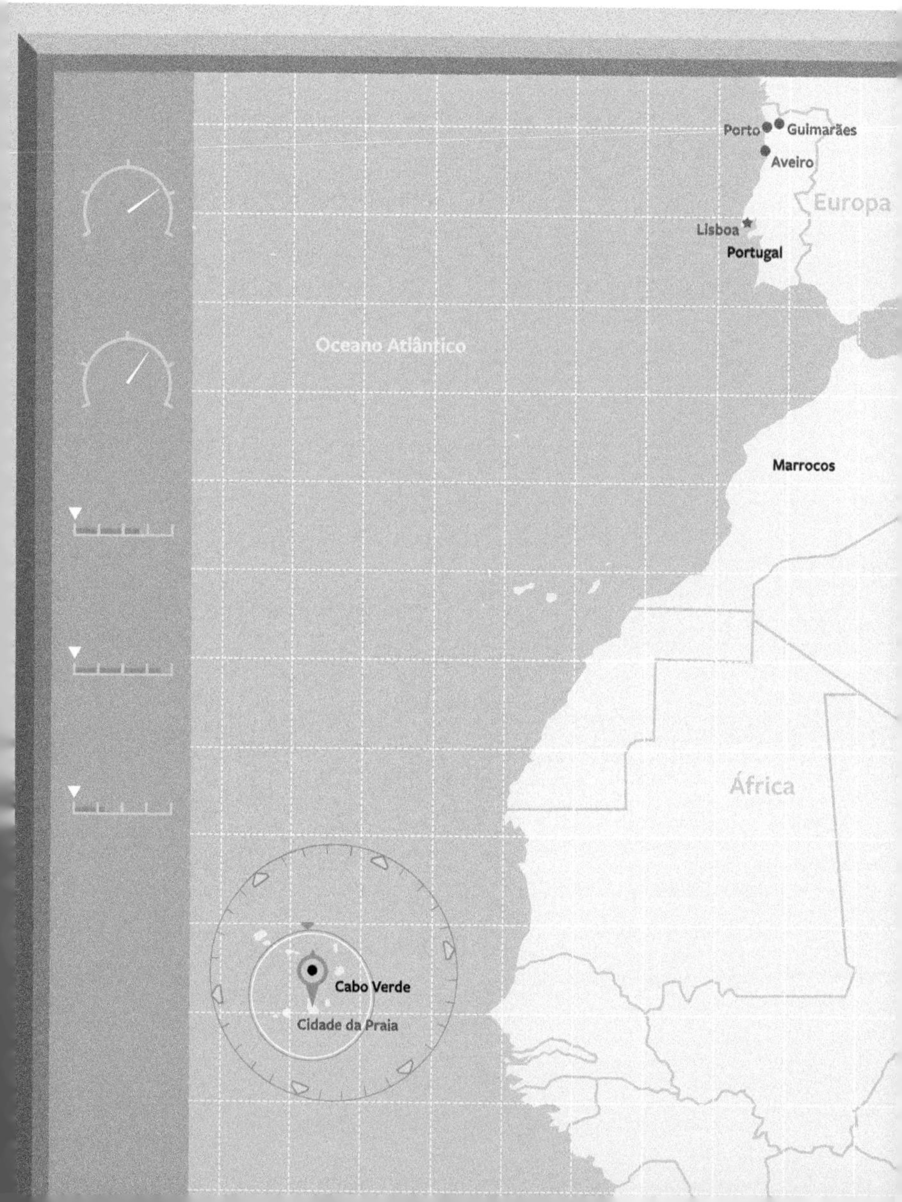

E o vento levou... 10

– Fogo! Fogo! Fogo! – gritou Mano-Loco.

A tripulação entrou em pânico. Mestre Alceu engoliu em seco. Helô colocou as mãos no rosto e ficou "mudinha". Agente E desafivelou seu cinto de segurança e, às pressas, foi pegar um extintor de incêndio. Mano-Loco fez uma cara de sonso e depois desatou a rir sem parar.

– Fogo, Ilha do Fogo, pessoal! Estamos ao sul do Arquipélago de Cabo Verde! A Ilha do Fogo tem esse nome por causa desse vulcão à nossa esquerda.

– Você é fogo mesmo, seu louquinho! – disse Helô, aliviada.

– Sem noção... – disse Mestre Alceu, balançando a cabeça.

Os Natos logo se refizeram do susto e riram da brincadeira. Eram dez horas da manhã, quando, após quatro horas de viagem, chegavam a Cabo Verde.

– Indo para a direita, veremos a Ilha de Santiago, onde está nossa próxima pista – informou Mano-Loco, atento ao mapa.

O avião baixou de altitude, Mestre Alceu diminuiu a velocidade e desceu o trem de pouso. Uma paisagem predominantemente rochosa, com pouco verde, surgiu no horizonte. Mano-Loco, com ares de dúvida, perguntou à base:

– Será mesmo que este lugar se chama Cabo Verde? E o que

aconteceu com as ilhas, elas desbotaram?

Luzia entrou na linha e respondeu prontamente:

– De certa forma, sim. Os ventos vindos da África tiveram uma influência muito grande, trazendo areia do deserto.

Pelas janelas do Ícaro, puderam testemunhar rochas e mais rochas que se amontoavam como evidências da ação do vento ao longo de séculos.

– Mas esse quadro pode mudar – explicou Mestre Alceu. – Tem sempre muita gente plantando árvores para colorir a ilha de verde!

Minutos depois, receberam autorização da torre de comando do aeroporto da Praia e iniciaram a descida final. A aterrissagem foi tranquila. Ícaro pousou às 10h05, e, como goma de mascar, suas rodas quase grudaram naquela pista de asfalto que fervia de tanto calor.

O avião taxiou até o pátio do aeroporto, próximo ao mar. Entretanto, logo tiveram uma decepção:

– Essa não! O Jack Stress já chegou! – gritaram juntos, ao verem o jato do empresário, agora pintado com a palavra ADAMASTOR.

– Devem ter encontrado a mensagem ontem e seguido imediatamente para Lisboa. Certamente partiram à noite – concluiu Agente E.

Pararam entre o avião da S.S.S. e um bimotor da TACV.

Ao abrirem a porta, um vento quente invadiu a aeronave.

– Vamos nos apressar – disse Mano-Loco.

No aeroporto, foram informados de que um grupo de jovens esquisitos e um homem alto, falando um português meio sem pé nem cabeça, haviam solicitado um helicóptero para voar até "Ribeira Grande". Pareciam meio atrapalhados e sempre consultavam umas anotações em uma folha de papel.

– Folha de papel? – surpreendeu-se Mestre Alceu, que, a seguir, despediu-se dos garotos, pois faria, como sempre, a checagem do Ícaro.

Mano-Loco, Helô e Agente E aceleraram os passos rumo ao ponto de ônibus do aeroporto.

Na *paragem*, cheia de gente, começaram a travar um contato maior com os cabo-verdianos.

– *M-leba Djom el la Praia* – dizia uma mulher cheia de vida, trajando um vestido colorido e usando um lenço branco. Ela conversava alegremente com um menino calvo, de olhos acesos como dois faróis, trajando uniforme escolar.

Com a aproximação do grupo, o garoto exclamou:

– *Minina bunita*!

– O quê? Que português é esse? – perguntou Helô, franzindo a testa.

Depois da "cantada", um sorriso irradiante brotou no rosto da garota, contagiando a todos que estavam no ponto de ônibus, ou melhor, na *paragem*.

– Bem-vindos à cidade da Praia. Meu nome é Antônio Cabral – saudou o menino, e então explicou: – Como muitos aqui do arquipélago, falo português e cabo-verdiano.

– Então vocês falam duas línguas? – indagou Agente E.

– Exatamente. Aliás, o português e o cabo-verdiano têm muitas semelhanças. Vocês devem ter percebido que minha tia estava a falar comigo sobre o livro que "ela levou para o João, meu primo, na Praia".

– É parecido com o português mesmo. Só não gostei do "minina bunita" – completou Mano-Loco, não conseguindo disfarçar seu ciúme diante do elogio a Helô, que olhou para ele, jogou seus longos cabelos para trás e fez charminho, esnobando-o.

– *El está bèbèque*! Ele está apaixonado – disse Antônio, deixando o garoto vermelho como caqui.

O grupo se apresentou e, em seguida, Mano-Loco contou que estavam atrás de uma mensagem na Igreja Nossa Senhora do Rosário.

– Ah, então vocês têm de ir à minha terra natal, a Cidade Velha, que é o berço de Cabo Verde! Não se preocupem: posso providenciar transporte para vocês até lá – disse Antônio Cabral, entusiasmado com a possibilidade de participar daquela missão. – Vou pedir ao meu avô que os leve. Ele tem uma carroça e passará por essa paragem daqui a pouco. Certamente será mais rápido que o *autocarro*, visto que não pararemos ao longo do caminho.

– Dá-lhe, *puto*! – saudou-o Helô.

Pouco tempo depois, a charrete do avô de Antônio chegou. O *puto*, como é chamado um garoto em Cabo Verde, pediu ao avô para levá-los até a igreja. O mais difícil foi acomodar todos. E aí Mano-Loco se divertiu narrando, com sotaque português, o tumulto que se sucedeu, como se fosse um jogo de futebol em Portugal:

– Lá vai Mano-Loco, pulou do relvado e sentou um bocadinho para o lado direito da carroça, que virou gangorra. Agente E encaixou o pé no traseiro do condutor, que se invocou. O neto disse que foi sem querer... Atenção! Helô, que queria causar ciúme no brasuca, sentou do lado de Antônio; porém Mano-Loco, da outra *equipa*, viu e não gostou. Fez força pra trás e... Atenção! É agora! A *rapariga* foi lançada pelos ares feito um *esférico*, o *guarda-redes* não pegou e é *Golo*! *Gooooooooooolo*!

A algazarra e as gargalhadas do animado grupo chamaram a atenção de todos na paragem e o trânsito até parou. Somente alguns minutos depois, refeitos de toda aquela confusão, rumaram para a Cidade Velha. Antônio Cabral virou o guia turístico da ilha. Ele sabia que o turismo era a grande esperança daquele lugar ensolarado, de clima quente o ano inteiro.

O caminho parecia uma pedreira. Passaram pela cidade da Praia e... depois de... muitos... solavancos... chegaram... à Cidade Velha. O pacato povoado ficava em um vale cercado por montanhas peladas, vermelhas de tanta surra que haviam levado dos ventos. Os monumentos daquele lugar também não foram poupados pela ventania constante. Um pelourinho, que provocava arrepios, permanecia ali, como testemunha do tempo de terror em que se traficavam escravos. Modestas casas de pedra, quase como figurantes, completavam a paisagem.

– Aquela fortaleza lá no alto chama-se São Filipe. Atrás dela, atravessando o riacho, chegaremos à igreja – disse Antônio, apontando para um forte não tão forte assim, mas com toda a pose de um castelo medieval, que parecia lutar contra o tempo.

Ao atravessarem um riacho seco, caminharam direto para a Igreja Nossa Senhora do Rosário. Não havia alma viva por ali. O avô de Antônio parou a charrete debaixo de algumas árvores e disse:

– Cá estamos. Vou esperar aqui na sombra. Boa sorte!

– Precisamos encontrar logo a mensagem – disse Agente E. – Creio que acharemos algo dentro do sino da igreja.

– E o sino? Será que o vento também o levou? – perguntou Mano-Loco, brincando.

– Não. A igreja está bem conservada – respondeu Antônio.

A igreja, de fato, conseguira resistir à ação do tempo, porém estava faltando alguma coisa.

– Que estranho! Onde está o sino? Ele não deveria estar no

alto da torre? – perguntou Mano-Loco.

– Sem dúvida. Há um sino. Sempre houve. Ontem eu vim aqui e ele estava no lugar!

– Então o sino desapareceu! Foi roubado! – gritou Agente E, inconsolável.

A conversa foi interrompida pelo barulho de um helicóptero, que acabara de decolar detrás do morro. Era Jack Stress com seus Stress Boys. Os meninos puderam ver seus adversários acenando ostensivamente, imitando o badalo de um sino e dando-lhes um provocante adeus. Tudo indicava que, a esta altura, eles já haviam encontrado a mensagem.

Levou muito tempo até que reencontrassem ânimo para dizer qualquer coisa.

– Eu não acredito. O Jack Stress chegou antes e ainda roubou o sino da igreja! – gritou Mano-Loco, furioso.

– E, com ele, a pista para a próxima etapa – lamentou Agente E.

– Deve haver uma saída. E o Jack Stress ainda está na ilha. Só não podemos deixá-lo disparar na frente – disse Helô, eterna otimista.

– A propósito, o sino é muito grande? – perguntou Agente E.

– Ele é muito pesado – respondeu Antônio. – Estava a pensar melhor, e posso garantir que é impossível eles terem levado o sino no helicóptero. Como explicariam isso às autoridades lá no aeroporto?

– Então onde eles podem ter deixado o sino? – perguntou Mano-Loco recobrando as esperanças.

– Pegue o portulábio! – sugeriu Helô. – Quem sabe ele não faz alguma magia?

– Magia? – indagou Antônio. – Puxa, se essa coisa é mágica,

pode ser que desperte o espírito do Blimundo.

– Blimundo? – perguntaram os Natos.

– Sim, trata-se de um boi poderoso, que vagueia pelos trapiches, os campos de Cabo Verde. Ele ama a liberdade e luta contra as injustiças.

– É o que nos resta: tentar! – disse Mano-Loco, meio descrente de tal magia cabo-verdiana.

Agente E sacou o portulábio da mochila e, ao erguê-lo contra o céu, um raio de sol refletiu-se no espelho do instrumento de Camões e foi atingir um morro próximo. Mais uma vez, o portulábio refletia um sinal dos céus. Primeiro, em Guimarães. Agora, em Cabo Verde. Coincidência? Ou magia?

Naquele momento, ouviram, vindos do local apontado pelo portulábio, os gemidos de um boi. Correram em direção ao animal, que, subitamente, levantou-se meio cambaleante e desapareceu em meio às rochas.

– É Blimundo! Blimundo! Só pode ser! – gritou Antônio.

Todos dispararam morro acima, em direção ao local onde haviam visto o boi, e encontraram algo esquisito em meio a uma poça de sangue.

– O sino! – gritou Mano-Loco.

– Será que Jack Stress jogou-o do helicóptero e atingiu o boi? Ou melhor, Blimundo!?

– Esse cara é maluco! Não dá para acreditar – disse Agente E. – Tudo isso é muito estranho.

Mano-Loco tratou de examinar o sino por dentro e por fora.

– Há umas ranhuras na parte interna, mas não dá para ler.

O garoto se esforçava, fazia caretas, até que gritou:

– Opa! Estou sentindo o contorno de uma cruz. Isso! Tenho certeza, é a cruz dos templários.

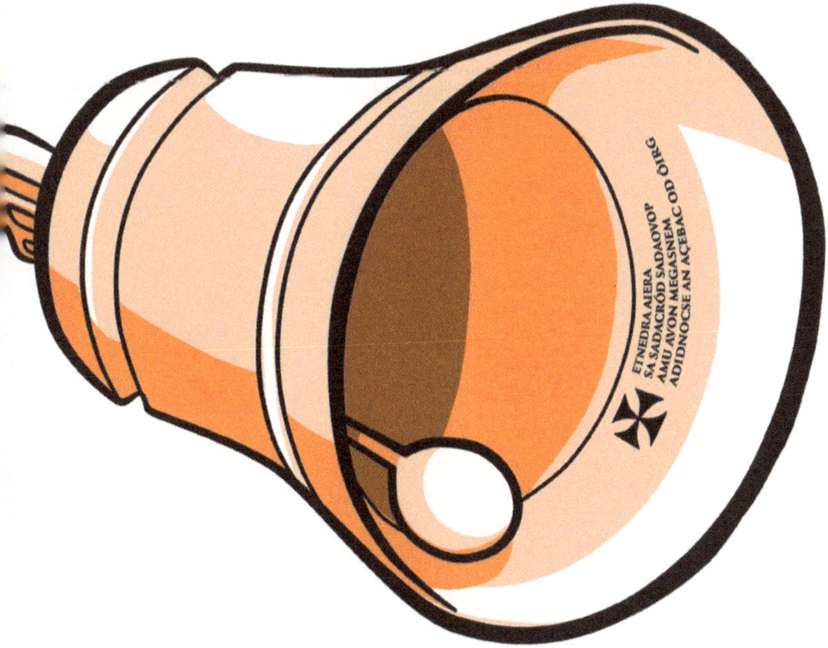

– Boa, vá em frente. Estamos no caminho! – encorajou-o Helô.

– Vou tentar ler o restante com o dedo, como em braille.

Gravadas no ferro, as letras foram apalpadas pelo garoto, que tentava formar as palavras. No entanto, nada parecia fazer sentido:

– Etnedra aiera. Será que o poeta também enlouqueceu? – desabafou.

Enquanto Mano-Loco falava, Helô anotava em uma folha de papel as palavras sem sentido.

– Aonde deveremos ir agora? Será que teremos de falar russo? – perguntou Agente E.

– Calma! Ele não está doidinho, não. Deve ser mais uma mensagem em código – raciocinou Helô – Temos de decifrá-la!

– Só não entendo como Jack Stress e seu pessoal, com esse tal stressês, estão conseguindo chegar até as mensagens e decifrá-las – protestou Mano-Loco. – Isso está cheirando mal! Será que alguém está ajudando a s.s.s.? Quem será que está transmitindo informações pra eles?

– Este *gajo* é um *aldrabão*! – comentou Antônio.

– Aldrabão... aldrabar? – perguntou Mano-Loco, intrigado. – Já ouvi essa palavra em algum lugar. Acho que foi em uma mensagem.

– Aldrabar? O pessoal aqui das ilhas e os portugueses usam essa palavra quando se referem a quem é malandro, mentiroso – explicou o cabo-verdiano.

"Hum" – pensou Mano-Loco.

Pouso não autorizado

11

Os garotos foram se encontrar com o avô de Antônio, para quem contaram as últimas emoções. Haviam decidido informar a polícia sobre a localização do sino, porém chegaram à conclusão de que não adiantaria denunciar Jack Stress. Além de tomar muito tempo, seria inútil, pois teriam muita dificuldade em provar alguma coisa contra o adversário desonesto. Jack Stress mostrava que havia entrado naquela disputa para vencer. De qualquer jeito.

– Chega de encrenca! – decretou Mano-Loco.

– Esse lugar é tão pacífico que não merece gente como Jack Stress – disse Helô. – Devemos curtir um pouquinho a ilha no retorno até o aeroporto!

No caminho de volta, juntaram-se a Mestre Alceu na casa de Antônio e, enquanto narravam todos os acontecimentos, comeram *catchupa*, um prato típico, feito com carne bovina, milho, feijão, frango, banana e mais um monte de coisa.

Depois do saboroso almoço, seguiram para Praia e se despediram dos amigos cabo-verdianos. Eram duas horas da tarde em Cabo Verde e o sol se regalava de tanto brilhar. Ao chegarem ao aeroporto, não viram nem sinal dos rivais.

– Uma coisa é certa. Jack Stress está percebendo que a língua portuguesa não está morta como ele julgava e que nós não vamos dar moleza. Por isso ele resolveu apelar – disse Mano-Loco enquanto entravam no avião.

– Por falar nisso, estou curiosa para saber qual será o nosso próximo destino – completou Helô. – Temos de decifrar a mensagem que Camões nos deixou no sino da igreja.

Para onde o poeta os levaria agora? Continuariam na África ou deveriam voltar para a Europa?

– Acho que o portulábio já nos ajudou bastante – disse Agente E. – Mas e agora?

Helô abriu a pequena folha de papel, em que anotara a mensagem do poeta, e repetiu aquela frase enigmática que estava no sino:

– Etnedra aiera... Sa sadacród sadaovop... Amu Avon megasnem... Adidnocse na açebac od ôirg...

– Que linguagem esquisita! O que será que o poeta transmitiu no seu código dessa vez? – perguntou Mestre Alceu.

– Quanto mistério! – disse Agente E.

Enquanto isso, Mano-Loco escrevia em outra folha de papel.

– Hum... Aiera... Aiera... Ao contrário, vamos ver, vira... Areia! Isso, areia! – gritou Mano-Loco. – Acho que devemos ler tudo ao contrário.

Helô, pacientemente, reescreveu o texto e o leu em voz alta:

– Ardente areia... As dórcadas povoadas... Uma nova mensagem escondida na cabeça do griô.

– Ardente areia? Será que temos de seguir para o Deserto do Saara? – indagou Agente E.

– Ou talvez para uma praia em uma região quente – sugeriu Mestre Alceu. – Bem, de qualquer maneira acho que precisamos saber o que significa "dórcadas".

Mestre Alceu acessou o canal de comunicação e entrou em contato com a base em Fernando de Noronha.

– Alô, Luzia, Tobi? Aqui, Ícaro. Estamos em Cabo Verde.

– Aqui, base. Boa tarde! O Tobi continua de repouso. Como vai a nossa missão?

– Muito bem. Encontramos uma mensagem no sino de uma igreja – contou Helô. – A pista menciona "dórcadas". E um tal de griô!

– Griô é um homem que viaja por algumas regiões da África para conhecer pessoas e contar suas histórias – explicou Luzia.

– Maravilha! Teremos de procurar um griô nestas tais dórcadas – comemorou Mano-Loco, que, em seguida, perguntou: – Luzia, você conhece algum lugar com esse nome?

A garota não soube responder de imediato. Foi consultar seu acervo.

Somente depois de pesquisar em dois mapas e de muito matutar é que obteve a explicação:

– Estou vendo nos mapas um arquipélago na costa da África, bem perto de onde vocês estão. Trata-se das Dórcadas, que era como Camões chamava o Arquipélago de Bijagós! – concluiu Luzia.

– Bijagós? Onde fica? – perguntaram ansiosos.

– É só comparar os mapas, meus amigos – respondeu Luzia. – Fica na Guiné-Bissau, outra terra colonizada pelos portugueses. Muitas embarcações ancoravam por lá nos tempos das Grandes Navegações.

– Deciframos mais uma mensagem em código! Natos, estamos a apenas uma hora da Guiné-Bissau – comemorou Mestre Alceu. – Vamos decolar imediatamente, visto que é possível chegar lá antes de o sol se pôr. Assim, estaremos na terceira escala em apenas dois dias de competição. Isso dá uma folga para fazermos A Volta ao Mundo em dez dias.

Eram quatro horas da tarde quando o Ícaro desgrudou suas rodas do solo cabo-verdiano, tomando o rumo do continente. O grupo já começava a sentir os efeitos das mudanças de fuso horário. Em Portugal, os relógios marcavam duas horas a mais do que em Fernando de Noronha. Em Cabo Verde, voltaram ao mesmo fuso horário do arquipélago brasileiro: duas horas mais cedo. E na Guiné teriam de adiantar o relógio novamente em duas horas.

– Acertar os ponteiros de um relógio é fácil, mas os ponteiros do organismo não – observou Agente E.

– O bom é que a gente está almoçando e jantando duas vezes – disse Mano-Loco. – Com o povo desses lugares e aqui no avião, quando o nosso organismo quer.

– Se continuar comendo assim, você vai passar mal – alertou Mestre Alceu.

Nessa hora, Helô acionou a tela de comando para acompanhar as notícias sobre A Volta ao Mundo. No entanto, encontrou algo nada animador:

S.S.S. LIDERA A VOLTA AO MUNDO

A escola de Jack Stress conseguiu desvendar mensagens em Portugal e Cabo Verde e já está voando rumo à terceira escala, em busca do tesouro de Camões. Por outro lado, o avião dos Natos, sempre atrás, somente agora decolou do aeroporto da Praia.

Todos se revoltaram com o jogo sujo do adversário. Mestre Alceu tratou de acalmá-los e falou com firmeza:

– Calma, jovens! Não estamos distantes do Jack Stress! Não adianta reclamar. Nós temos de acreditar que podemos vencer. É isso. E chega de resmungar!

Mestre Alceu não convenceu muito. Somente após alguns minutos de silêncio total ele conseguiu quebrar o gelo e, então, sugeriu que pensassem na etapa seguinte:

– Pessoal, vamos nos concentrar na disputa. A Guiné-Bissau é um pouco do que é a África, sabiam?

– Um pouco do que é a África? – perguntou Mano-Loco.

– Isso mesmo. No pequeno território da Guiné-Bissau, do tamanho do estado de Alagoas, existem nada menos que 23 etnias. Cada uma com sua cultura, sua língua...

– E não vai ser fácil encontrar um griô – constatou Mano-Loco, olhando no mapa um incontável número de ilhas e ilhotas, no arquipélago das Bijagós.

– Bem, acho que não há muito o que fazer por ora – disse Mestre Alceu. – Teremos de descer no arquipélago e ver.

– No povoado de Bubaque, em uma ilha próxima a Bissau, a capital do país, há uma pista de grama onde podem pousar – Luzia, ainda na linha, informou.

Apreensivos, os Natos trataram de descansar um pouco. Mestre Alceu ficou no comando e fez Mano-Loco acionar o piloto automático para poder apreciar a viagem. No entanto, a monotonia do mar segurava os ponteiros do relógio e o tempo não passava. Aqueles pratos de *catchupa* na barriga... Foi dando uma moleza... Uma preguiça... Um sono... Estavam quase dormindo...

– Problemas à vista! – subitamente a voz de Luzia invadiu a cabine do Ícaro, despertando toda a tripulação. – Guiné-Bissau está em guerra civil! Fomos informados de que um grupo de guerrilheiros invadiu o palácio do governo. Todas as comunicações estão interrompidas e os aeroportos estão fechados!

– E agora? O que faremos? – perguntou Mano-Loco.

– Bem, pelo menos Jack Stress vai enfrentar os mesmos problemas – disse Helô, procurando consolar o grupo.

Doce ilusão da garota. Naquele momento, a tela do computador avisou que uma mensagem havia chegado. E era justamente de Jack Stress.

África is *cool*, legal, porém somente para quem fala stressês! Hahahaha. Estamos na próxima etapa! Se vocês vierem para cá, vão ser muito bem recepcionados. Com tiros de canhão, torpedos, rojões e tudo o que merecem. Hahahaha.

– Jack Stress já chegou a Bissau! – gritaram, surpresos.

– Mas como, se todos os aeroportos estão fechados? Isso não está cheirando bem – murmurou Agente E.

– Ah! Vai cheirar bem, sim. De novo! Ele que nos aguarde! – disse Mano-Loco.

Agente E riu com gosto, apesar de a situação ser preocupante. Lembrou-se dos ataques de doideira de Jack Stress no Castelo de Guimarães. Até então, Mano-Loco pedira-lhe segredo sobre sua invenção. Mestre Alceu poderia ralhar com ele.

– É, a história dessa guerra está mal explicada... – concordou Mestre Alceu.

– Droga! – protestou Mano-Loco. – Se não descermos na Guiné-Bissau, estaremos fora da disputa.

– Teremos de descer à noite para não chamar a atenção – aconselhou Mestre Alceu. – E no mar.

Todos ficaram aflitos.

– No mar?! E ainda por cima à noite? – questionou Mano-Loco. – Isso é que é emoção! – ironizou.

Mestre Alceu pediu que Agente E checasse o computador de bordo.

– Acho que as placas absorveram muita energia – disse o jovem Nato.

– Exatamente. O Ícaro tem energia para voar três ou quatro horas na escuridão – confirmou Mestre Alceu. – E, para fugirmos dos radares, voaremos a baixa altitude, esperando a noite cair, e, então, procuraremos um lugar calmo para descer.

Houve certo alívio, porém somente por alguns instantes.

– Depois de amerissarmos, vamos arrumar um esconderijo para o avião em alguma praia dessa Ilha de Bubaque. Em seguida, vocês devem seguir até o povoado – sugeriu Mestre Alceu. – E lá devem procurar por algum griô.

– E como andaremos em um país em guerra? – perguntou Helô.

– Tenho um plano – interveio Mano-Loco.

Mestre Alceu até gelou. Já que era guerra, lá vinha bomba.

O garoto contou sua ideia, que, ainda que fosse criativa, não deixava de ser maluca. Ele e Helô chegariam ao povoado de Bubaque em um bote inflável, disfarçados de enfermeiras. Após encontrarem a pista, Mestre Alceu e Agente E, que ficariam aguardando notícias pelo rádio, viriam resgatá-los.

– Enfermeiras? – exclamou Agente E, com o olhar cheio de dúvida. – Você está louco? E a Helô, com todo esse porte, não vai convencer!

– Há sempre missões com enfermeiras junto à população desses lugares. Assim, teremos mais facilidade em andar por lá

– explicou Mano-Loco. – E, quanto a Helô, ninguém vai reparar. Ela se vira muito bem. É tão esperta que já sabe como tratar doentes. Não é, Dra. Helô?

A garota sorriu e piscou para o amigo, orgulhosa. O garoto, sem perceber, conquistava cada vez mais a companheira. E se envolvia também.

Voltando à ideia da missão secreta na Guiné, ela só podia mesmo vir do Mano-Loco. Contudo, não havia escolha. Os Natos estavam com o coração disparado. Era o maior desafio da viagem até aquele momento. Pela janela do avião, o Sol lentamente concluía sua missão naquele canto do mundo. O cair da noite seria a autorização para o pouso na Guiné-Bissau.

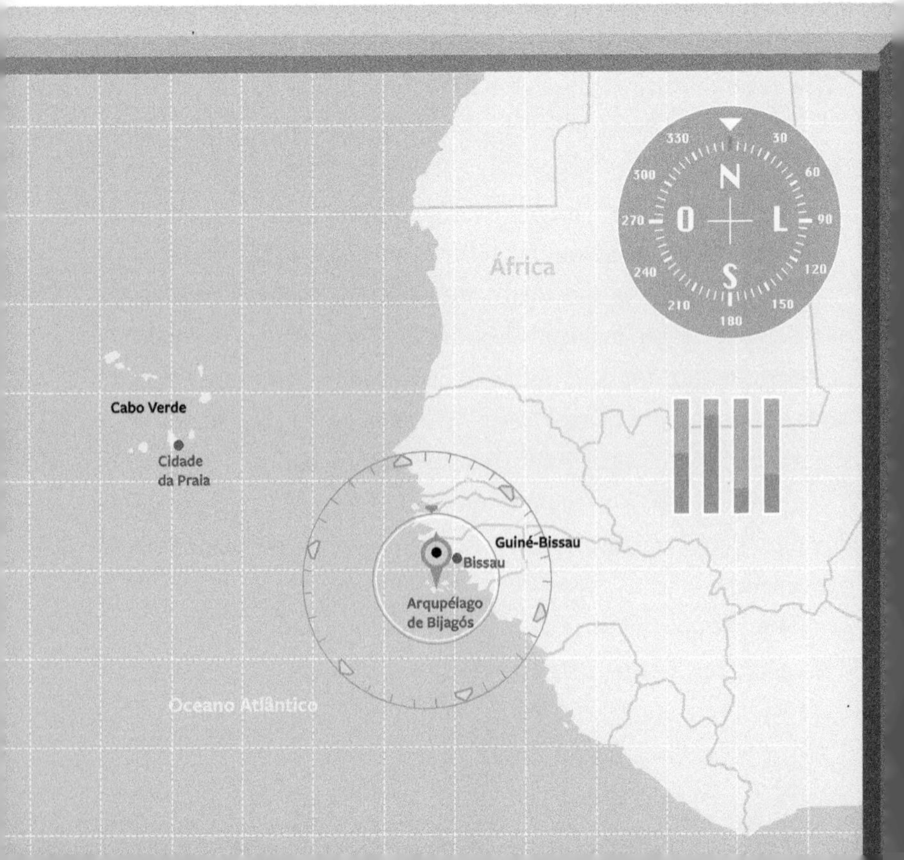

Uma bênção dos deuses

12

Já eram mais de oito horas quando o Sol se pôs. No oceano, surgiram incontáveis ilhas arborizadas, como se fossem pedaços da selva que haviam se desprendido do continente. Era o Arquipélago de Bijagós, a porta de entrada da Guiné-Bissau.

Ícaro baixou rapidamente a altitude, mantendo o trem de pouso recolhido e acionando os flutuadores laterais. Apesar de as condições meteorológicas daquela região estarem favoráveis, uma descida em mar aberto sempre colocava em risco a tripulação. Entretanto, o avião mostrou sua intimidade com a água e pousou suavemente nos mares da Guiné. Em poucos minutos, descansava em silêncio em uma praia deserta da Ilha de Bubaque.

Mano-Loco pegou a mala de fantasias e, com Helô, tratou de se disfarçar. O branco do vestido das "enfermeiras" contrastava com a cor laranja do colete salva-vidas e com uma cruz vermelha impressa no avental. Mano-Loco, o autor do plano, caiu em si e começou a se sentir mal naquele uniforme de enfermeira. Principalmente diante dos olhares de gozação de Mestre Alceu. Helô maquiou-o, abusando no batom. Com uma peruca ruiva, o garoto ficou uma "gata". Mestre Alceu, procurando sempre descontrair, tratou logo de provocar o companheiro:

– Qual vai ser o nome da beldade? Loló?

Mano-Loco olhou com aquela cara de deboche que fazia quando era atiçado e disse:

– Não estou nem aí! Missão é missão! Principalmente quando temos um Mestre brincalhão!

A pequena rima acalmou a tensão. O grupo trabalhava rapidamente. Enquanto isso, com um fole, Agente E inflava o bote para duas pessoas.

– Se não tiveram enjoo até agora, no bote inflável é que não vão ter – brincou.

Mano-Loco tratou de entrar primeiro no pequeno barco, levando sua mochila e o equipamento de emergência, e se sentou no centro, enquanto Helô ficou atrás. Despediram-se de Mestre Alceu e do Agente E, que entregou o portulábio a Helô, a pequena enfermeira, e partiram.

Remaram com cuidado, em silêncio. Estavam em pleno Oceano Atlântico, circundando a ilha delineada por palmeiras. A forte correnteza transformou o bote em uma simples porca de metal atraída por um ímã. E em poucos minutos chegavam à pacata cidade de Bubaque.

Atracaram em um pequeno ancoradouro, onde apenas uma solitária canoa testemunhava a movimentação da dupla. Dali, puderam chegar rapidamente a uma praça, onde havia dois bares e uma loja de artesanato, que estavam fechados. Modestos bangalôs e pequenas casas também pareciam cochilar, espremidos naquele minúsculo centro urbano. Não havia luz, e o lugar estava em completo silêncio. Um silêncio assustador. Ao colocarem os pés em uma via enlameada, uma voz surgiu da escuridão.

– Que ótimo! Enfermeiras! – gritou um homem, com mais de dois metros de altura, usando farda, botas sujas de barro, e com uma metralhadora na mão. – Um senhor *molestou-se* e necessita de socorro médico!

"Deve ser um guerrilheiro" - pensou Mano-Loco.

Helô tomou a dianteira e respondeu:

- Sim, se alguém está doente, estamos aqui pra isso.

- Ora, é *curta*, baixa e brasileira! - disse o homem, notando o sotaque da menina.

E, rindo-se da tal enfermeira, completou:

- Você é tão pequenina que quase não a ouço aqui de cima - disse, abaixando a cabeça. - Mas certamente vamos nos comunicar melhor do que com o grupo que esteve aqui hoje, vindo de Cabo Verde. Falava uma língua doida, cheia de siglas, uma mistura de português e inglês.

- Quem era? - perguntou Helô, estimulando o soldado a falar.

- Não sei ao certo, porque não conseguia entender muito bem o que diziam. Mas creio que são amigos do nosso comandante. Parece que o chefe deles está envolvido na exploração de madeira para a produção de papel. E que ele tem uma editora no Brasil. Estava acompanhado de três *putos*, meninos, meio esquisitos.

Os Natos entreolharam-se. Eram Jack Stress e os Stress Boys. Certamente já haviam encontrado a mensagem para a quarta etapa da Volta ao Mundo e começavam a ganhar uma considerável dianteira.

"Essa guerra civil não passa de armação do Jack Stress" - pensou Mano-Loco. "Não tenho dúvida. Aeroportos fechados, guerrilheiros... Ele está por trás dessa guerra de mentira, com o objetivo de atrapalhar nosso caminho. Provavelmente contrataram alguns mercenários nestas ilhas, prejudicaram as comunicações com o aeroporto e enviaram um alarme falso para o nosso pessoal na base. É jogo sujo. Ele e seus colegas guerrilheiros não perdem por esperar".

Foram conduzidos pelo soldado até uma casa de paredes caiadas, janelas quebradas e uma porta apodrecida, que um dia ousara ser azul. Em um mísero e bagunçado aposento, à luz de um lampião, encontraram um homem negro de meia-idade, cabelo ralo e ensanguentado, estirado em uma cama. Ele gemia e se queixava de fortes dores na cabeça. Helô, hábil enfermeira, piscou para Mano-Loco, dirigiu-se ao senhor enfermo e disse:

– Boa noite! Sou enfermeira e meu nome é Helô. Minha colega se chama Loló.

Mano-Loco deu um grande sorriso amarelo, meio sem graça.

– Ai, minha cabeça, como dói – resmungou o pobre homem.

Ao examinar seu paciente, Helô logo percebeu que não era nada grave.

– É simples. Basta limpar o ferimento e fazer um curativo. Precisamos de água limpa, uma tesoura e esparadrapo – pediu ao soldado, que ficara estático ao lado da porta, observando todos os seus movimentos.

– Esparadrapo?

– Ah, peço desculpas. Quero dizer um *penso*.

– Está bem, vou buscar – respondeu.

Quando o soldado saiu da casa e sumiu na noite, o homem, que até então apenas se queixava de dor, iniciou uma conversa em tom amigável.

– *Raparigas*, moças, nasci no interior da Guiné-Bissau e viajo pelas terras a contar histórias – disse, respirando com dificuldade.

– Então o senhor é um...

– Griô – respondeu roucamente.

Os Natos ficaram arrepiados. Sem querer, haviam encontrado um griô. Entretanto, será que ele saberia mesmo a mensagem do poeta?

– E sou um griô, com muito orgulho – disse o guineense, que então contou seu drama. – Estava a contar histórias para alguns *miúdos*, garotos aqui de Bubaque, quando *aldrabões* invadiram a praça e ordenaram que todos fossem para suas casas. Logo em seguida, surgiram uns turistas interessados em saber sobre uma mensagem que eles diziam estar comigo. Eles mal falavam português, mas eram ajudados por esses *aldrabões*. Eu não disse nada. De repente, começou uma grande confusão, não sei se estavam brincando ou brigando. Só sei que fui atingido na cabeça e fiquei desacordado por um bom tempo. Dói *imenso*, mas também creio que não seja grave.

– Não é, mas precisamos limpar o ferimento para evitar infecções – explicou Helô.

O griô continuou a falar, olhando para os Natos.

– Minhas filhas, Guiné-Bissau é um país muito *giro*, legal. Há *sítios* lindos como este Arquipélago de Bijagós, em que as etnias vivem felizes sem se incomodarem com o que se chama de progresso. Há enormes reservas naturais, mas, infelizmente, às vezes os povos daqui não se entendem.

– E a língua portuguesa, como entra no meio dessa história?

– O português é a língua que pode unir toda essa gente – concluiu o griô.

Uma lágrima escorreu pelo rosto daquele homem, que, certamente, sofria mais com as brigas daquele pequeno país do que com a dor na cabeça.

– Os tais turistas descobriram a mensagem? – especulou Helô.

– Eu não lhes disse nada. E quando acordei, já haviam ido embora.

– Estranho – disse Helô, que, confiando no griô, aproveitou a oportunidade para contar sua história.

O guineense ficou admirado com a bravura daqueles jovens.

– Parabéns por esta bela missão! Sei que estão curiosos para saber qual é essa mensagem, não estão? – disse, gemendo. – Infelizmente, não posso revelá-la. Ela é uma bênção transmitida secretamente, de geração em geração, pelos griôs, para que os deuses espantem a fúria do mar e do céu e se tenha muita comida aqui nas ilhas. Ter o que comer por aqui é uma luta constante, e passar isso para as futuras gerações é o mesmo que desejar felicidade.

– E essa bênção que estamos procurando existe há muito tempo? – perguntou Mano-Loco.

– Sim, é uma espécie de mensagem que vem dos nossos antepassados. Lamento, mas não poderei transmiti-la a vocês!

Helô e Mano-Loco ficaram aflitos. Diante deles havia um homem que poderia dar a pista para seguirem A Volta ao Mundo, porém um inesperado obstáculo surgia à sua frente. Aquelas pessoas, sem saber o que significava aquela mensagem, pensavam que se tratasse de uma espécie de tabu, algo secreto, cercado de mistérios. Contudo, era uma pista para o tesouro de Camões, escondido no Brasil. E Jack Stress? Como descobrira a mensagem, se o griô nada dissera?

O mistério, todavia, não duraria muito. Enquanto limpava o ferimento na cabeça do homem, Helô reparou que havia algumas cicatrizes no couro cabeludo. Cicatrizes? Ou eram...

"Palavras!" – pensou. "Isso mesmo, são palavras! Mas o que elas podem significar?". Seus olhos não piscavam, fitando o couro cabeludo do seu paciente. “Há uma mensagem escondida debaixo do cabelo do griô. Talvez seja isso que o poeta quis dizer: ‘na cabeça do griô’! Jamais iríamos descobrir se não houvesse esse ferimento! Deve ter sido por isso que o pessoal do Jack Stress deu uma paulada nele. Tadinho.”

A menina aproximou-se da cabeça do griô e experimentou usar a lupa do portulábio, que retirara discretamente da mochila. Ao colocar a peça sobre a pele ferida, aquela lente vermelha, quase que por magia, revelou o que estava misturado ao sangue. A garota pôde ler uma mensagem escrita em letras miúdas, em português:

Cavernas altas onde o mar se esconde
Lá onde as ondas saem furibundas
Ficou com a ilha ilustre que tomou
O nome de um que o lado a Deus tocou

“São versos do Camões! Mais uma mensagem em código!” – sussurrou a garota reconhecendo as palavras do poeta, que haviam atravessado os séculos. Pareciam uma tradição lançada pelo genial português e que os griôs não se deram conta do que realmente significavam. Mano-Loco entendeu os movimentos labiais da colega...

Helô memorizou os quatro versos e um estranho desenho que os circundava. “Parece o contorno de uma ilha” – deduziu, e escondeu o portulábio.

Naquele instante, o soldado voltou com um pacote de pensos e entregou-os a Helô, que disse calmamente, enquanto fazia o curativo:

– Em uma semana, ele não sentirá mais nada.

– Está bem, enfermeira, agora conte uma coisa pra mim. Quem estavam a procurar lá na rua? – perguntou o soldado, desconfiado.

– Elas estão em missão e vão dormir aqui – interveio providencialmente o griô. – Amanhã vamos *matabichar* cedo e, em seguida, pegaremos um barco até Bissau.

“*Matabichar*” – pensou Mano-Loco. “A Felícia usou esta palavra na sua declaração.”

O soldado então respondeu, em tom meio desconfiado:

– Sei...

Depois de coçar a cabeça e fazer um muxoxo, ele se decidiu:

– Está bem, mas só saiam à noite em caso de emergência.

O soldado foi embora, sem dizer mais nada. Aliviado, Mano-Loco agradeceu:

– Obrigado pelas palavras dietéticas!

– Não percebi o que dissestes.

– É que fiquei tão aliviado que parece que perdi vinte quilos.

– Ah, pois, seu João-estarola!

– Estarola? – Mano-Loco perguntou surpreso.

– Sim, pateta! Aqui na Guiné, temos o hábito de dar apelidos a toda a gente. Tu, Helô, vou chamar de *tuga gira*, portuguesa bacana!

Todos riram e depois trataram de encher a barriga. Antes de dormir, combinaram pelo rádio com Mestre Alceu e Agente E como seriam resgatados na manhã seguinte. No entanto, a conexão estava tão ruim que não conseguiram falar sobre a mensagem encontrada em Bubaque.

Quando o sol despertou, depois de um gostoso *matabicho*, Mano-Loco e Helô já caminhavam pelas ruas em direção ao ancoradouro onde estava o bote. O griô diria aos soldados que as enfermeiras haviam decidido partir mais cedo.

– Engraçado – disse Mano-Loco, pensativo. – Aqui, *matabicho* significa café da manhã. Não é uma das palavras que a professora Felícia usou naquela declaração maluca? É a segunda ou terceira palavra estranha que ela disse naquela noite e que descobrimos ter um significado diferente do que parecia, tão sem pé nem cabeça.

O calor logo fez com que a maquiagem de Mano-Loco começasse a borrar. Ao passar por um grupo de homens armados, que descansavam embaixo de palmeiras, a touca do garoto caiu. Um homem comentou:

– Vejam, uma enfermeira com cara de palha... *Oh, pá*, não é enfermeira! Não são enfermeiras! Estão disfarçados! Peguem-nos!

Antes que o guerrilheiro terminasse de falar, os Natos correram em direção ao ancoradouro e pularam no pequeno bote. Enquanto Helô, depois de ter soltado a corda, entrava em contato com Agente E, dando as coordenadas da dupla e pedindo que eles se apressassem, Mano-Loco abriu sua maleta de emergência e pegou seu aerossol gigante. E então continuou a remar. O bote balançava como uma boia de sinalização em um mar agitado. Ao longe, homens gesticulavam e gritavam. Uns ameaçavam atirar, outros pediam que alguém providenciasse uma lancha. Até que resolveram apontar suas metralhadoras em direção ao casal de Natos. Mano-Loco, então, parou de remar e não perdeu tempo. Virou-se para a praia e disse:

– Helô, feche os olhos e coloque esta máscara! – disse, enquanto pegava a outra máscara para ele.

– O que você vai fazer?

– Colocar em prática a minha grande invenção. O gás da doideira, da demência total, minha amiga! É pra gente que faz coisas que não cheiram bem.

– Ah, gatinho, que nojo, não quero nem ver nem cheirar. Odeio gases malcheirosos.

– Também não gosto, mas é uma questão de sobrevivência! – disse Mano-Loco, que, no entanto, estava se divertindo com os efeitos que seu gás causava nas pessoas.

Mano-Loco, então, passou a lançar sem parar o seu poderoso gás, que, com o vento, chegou num instante à praia onde estavam os soldados. Os homens mal-encarados logo inalaram o poderoso gás e, subitamente, começaram a balançar seus corpos como molas soltas. Um homem bradou ao vento:

– Argh, que cheiro ruim! – e depois de pensar um pouco, mexendo a cabeça para todos os lados, como galo andando no terreiro, falou aos companheiros: – Pensando bem, este cheiro é delicioso! Coleguinhas, vocês querem ver o que eu faço com a minha arma?

Os outros, às gargalhadas, responderam, torcendo o pescoço:

– Sim, conta pra gente, tontão!

E viraram-se para o companheiro, imitando sapos, que pulavam e faziam caretas sem parar.

Enquanto fugiam, um inconfundível zumbido injetou ânimo nos Natos: com seus flutuadores acionados no extremo de cada asa e o trem de pouso recolhido, o Ícaro preparava-se para descer no mar.

O hidroavião pousou, vindo rapidamente em direção aos garotos. A porta foi aberta com rapidez e Agente E atirou uma corda.

– Rápido, entrem no avião!

Mano-Loco ficou sentado no centro do barco, como âncora, enquanto Helô "voou" para dentro da aeronave.

– Venha garoto, pule logo! – berrou Mestre Alceu.

Mano-Loco, então, pulou na água e, após alguns instantes, lançou-se feito um míssil para dentro do Ícaro.

– Apertem os cintos! – gritou Agente E, enquanto fechava a porta da cabine.

Mestre Alceu colocou os motores a todo vapor, Ícaro ganhou velocidade e avançou, determinado, pelas águas do mar. Entre rajadas de vento, balançou, chacoalhou e finalmente ganhou os ares. Em poucos minutos, Bubaque e a Guiné-Bissau cabiam em cada janela do avião.

Chocolate no pedaço?

13

Depois daquela aventura, os Natos se afastaram da costa africana, esgotados.

– Ufa! Mais uma vez, escapamos por pouco! E encontramos uma nova mensagem do poeta! – exclamou Helô, enquanto ajeitava a gola da sua camisa polo. A garota, sempre impecável, cuidava do seu visual em qualquer circunstância, o que contrastava com o desligado amigo de que ela tanto gostava, sempre desarrumado.

– O Jack Stress tramou tudo e está por trás dessa falsa guerra – lamentou Mano-Loco. – Na realidade, ele contratou alguns homens e transmitiu um alarme falso para a nossa base. Foi tudo armação!

– Ele está apelando cada vez mais – acrescentou Mestre Alceu. – Mas já sabíamos que ele não era flor que se cheire.

– Por falar em cheiro, Maninho, esse seu gás da doideira é terrível, hein! – disse Helô, lembrando-se do efeito que a poderosa invenção teve sobre aqueles homens na Guiné.

Mestre Alceu interessou-se pela invenção de Mano-Loco. Agente E não resistiu e acabou narrando os efeitos do estranho gás desenvolvido pelo amigo. Helô ouvia tudo com certo nojo.

– Assim como o Popeye usava espinafre pra ficar forte, eu

uso repolho. Fico imbatível! – gabava-se Mano-Loco. – Mas o estoque de gás da doideira está no fim. – completou, preocupado.

Mestre Alceu não podia acreditar em tamanha maluquice. Não sabia se ria ou se ficava bravo. Contudo, não deixou de perguntar mais sobre o gás:

– E como produzir mais gás da doideira?

– Terei de achar bastante repolho estragado, misturar a um pouquinho de ovo podre, peixe em decomposição, suco de laranja passada, agitar todos esses ingredientes dentro deste frasco e, aí, extraio a substância gasosa – explicou, rindo com gosto.

– Quer dizer que, quando agitado, o repolho começa a ferver aí dentro e pode explodir? – deduziu Agente E.

– Ai, Louquinho. Isso me incomoda. E se você estiver beijando alguém, estiver com este frasco no bolso, ficar bravo e então resolver jogá-lo no chão?

– Helô, é só não me deixar nervoso, né?

Mestre Alceu misturava um sentimento de repugnância pelo gás com uma pitada de orgulho pela capacidade criativa do Nato. "Esse garoto é mesmo um louco. Mas, muitas vezes, precisamos de ideias malucas para sair de apuros ou enfrentar gente desonesta." – pensou.

– Está bem, jovens. Basta! Essa conversa está me deixando enjoado. Acho melhor você, Mano-Loco, colocar uma roupa seca e cuidarmos da nossa missão. Ah, e nada de produzir este gás aqui na cabine do avião, está bem!?

– Se eu me trancar no banheiro, posso montar um minilaboratório e produzir o gás...

O garoto saiu da cabine e foi trocar de roupa. Enquanto Helô checava o painel de controle, Agente E ligou o computador para falar com a base. Ao entrar na internet, aproveitou para ler, em voz alta, as notícias sobre A Volta ao Mundo:

S.S.S. MOSTRA SUPERIORIDADE NA GUINÉ. JACK STRESS COMEMORA EM GRANDE ESTILO.

Helô, indignada, conferiu os detalhes:

O empresário mostrou que sua língua, o stressês, foi bem compreendida na Guiné-Bissau e seguiu na frente na Volta ao Mundo. Antes de partir, festejou sua liderança batendo um recorde mundial de caça. Seu grupo matou quarenta leões numa só caçada.

A revolta tomou conta dos Natos. Mestre Alceu era o mais exaltado.

– Além de trapacear, o *aldrabão* ainda mata tantos animais!

– A essa altura, Jack Stress pode estar próximo da quarta mensagem – lamentou Mano-Loco, olhando no mapa-múndi aberto no seu colo.

– Mensagem! Helô, precisamos decifrar imediatamente a mensagem que você encontrou! – gritou Agente E, sintonizando o canal de comunicação com a base. – Alô, Luzia. Ajude-nos! Estamos voando sem rumo sobre o oceano!

– Encontrei uma mensagem em código em quatro versos do poeta, mas não tenho a mínima ideia de como localizá-los n'*Os lusíadas*. Afinal, a obra tem dez cantos, 1.102 estrofes e, como cada estrofe tem oito versos, teríamos de procurar em

8.816 versos... – explicou Helô.

– Então, declame os versos para a Luzia procurá-los – insistiu Agente E.

A menina tomou fôlego e repetiu para a companheira da base os versos que havia lido na cabeça do griô guineense:

Cavernas altas onde o mar se esconde
Lá onde as ondas saem furibundas
Ficou com a ilha ilustre que tomou
O nome de um que o lado a Deus tocou.

– Ilha, de novo! Mas Portugal conquistou tantas ilhas naquele tempo... Para onde será que teremos de ir agora? – perguntou Agente E.

– Por favor, Luzia, rápido, tente verificar se esta estrofe está mesmo n'Os *lusíadas* e ajude-nos a decifrá-la – bradou Mano-Loco.

– Está bem, pessoal. Vou ver se colocamos em uma busca rápida – respondeu prontamente Luzia.

Em minutos, ela conseguiu localizar os versos na obra de Camões:

– Os dois últimos versos fazem parte de uma estrofe em que o poeta conta como Vasco da Gama tenta convencer um rei africano a ajudá-lo a atravessar o Oceano Índico e chegar à Índia. Ele começou a narração contando sobre a viagem do navegante ao redor da África e, nessa estrofe, creio que ele se referiu a uma ilha que tem o nome de um dos apóstolos.

– Apóstolos? Sei todos – disse Helô. – Pedro, João, Mateus, Marcos, Tomé...

– Tomé! São Tomé! – gritou Mestre Alceu. – "O nome de um

que o lado a Deus tocou." Isso, Tomé, que depois virou santo, foi o discípulo que só acreditou que Cristo havia ressuscitado quando pôde colocar a mão e tocar nas feridas dele.

– Vejam, no mapa do século XVI, há uma pequena ilha chamada São Tomé, logo aqui no Golfo da Guiné – apontou Mano-Loco.

Agente E pegou o portulábio e colocou a parte da lupa sobre o desenho da ilha no mapa.

– É essa ilha! – confirmou Helô. – Tenho certeza! Ela tem o contorno idêntico ao que eu vi na cabeça do griô!

– Jovem, não é apenas uma ilha – interveio Mestre Alceu. – É hoje um país, em que se fala o português, formado por duas ilhas maiores, que lhe dão o nome: São Tomé e Príncipe.

– Então, estamos decifrando mais uma mensagem do poeta! Dá-lhe, Camões! – disse Helô, beijando o portulábio.

– Dá-lhe, Natos!

Mano-Loco, empolgado, calculou a que distância estavam daquele pequeno país.

– Não estamos longe da nossa quarta etapa. Levaremos três horas e meia para chegar à Ilha de São Tomé. Só precisamos saber exatamente onde está escondida a nossa próxima mensagem.

– Os outros dois versos devem dar a resposta – palpitou Mestre Alceu.

– "Cavernas altas onde o mar se esconde. Lá onde as ondas..." – repetiu Helô.

– Luzia, veja se existe na ilha alguma caverna à beira-mar com essas características – pediu Agente E. – Um guia turístico deve ajudar.

A garota demorou a responder. O silêncio no microfone

deixava-os tensos. Somente depois de alguns minutos, Luzia entrou na linha novamente.

– No guia aqui da biblioteca, verifiquei que há uma espécie de gruta, mas creio que ela só pode ser vista de longe. Chama-se Boca do Inferno.

– Boca do Inferno! Tem tudo a ver com o verso do poeta "Lá onde as ondas saem furibundas". Furibundas, jovens, significam furiosas! Infernais! Só pode ser a Boca do Inferno! Parabéns, Luzia! – exclamou Mestre Alceu, eufórico. – Deciframos toda a mensagem! Incrível, a forma como Luís de Camões codificou todas essas pistas! Viva a poesia!

– E qual é a localização da gruta? – perguntou Mano-Loco.

– Em você! – brincou Mestre Alceu. – Sua boca é um inferno!

Quando Mano-Loco ia dizer algum desaforo, Luzia interveio.

– A Boca do Inferno fica no litoral, na direção sul da ilha, logo após uma vila de pescadores e próxima a várias roças.

– Roças?

– Roça em São Tomé significa fazenda. Nessas roças, planta-se cacau – explicou Mestre Alceu.

– Bem, não há o que pensar. Ali certamente está a nossa próxima pista – concluiu Mano-Loco, aliviado.

Subitamente, uma voz nervosa, vinda do painel, irrompeu na cabine:

– Atenção, emergência no aeroporto de Bissau!

Agente E aumentou o volume para poderem escutar melhor. O canal de rádio sintonizara uma mensagem proveniente da Guiné:

– Pousos e decolagens suspensos. Avião PT Adamastor com pane no motor. A aeronave decolou de Gabu, no nordeste do país, mas uma das suas turbinas foi atingida por um urubu. Autorização de pouso de emergência no aeroporto de Bissau.

– Adamastor! – disse Agente E, animado. – O avião do Jack Stress!

– Vamos, Natos, vamos chegar logo em São Tomé! – disse Helô.

O entusiasmo envolveu o grupo, já que agora estavam à frente de Jack Stress. E certamente aquela pane atrasaria o avião da Escola s.s.s. Em meio a tanta felicidade, Mano-Loco não pôde deixar de voltar à conversa sobre as roças de cacau, interrompida pelo comunicado do rádio.

– Fiquei interessado naquela história das plantações de cacau.

– São Tomé já foi chamada de Ilha Chocolate, pois era o maior produtor de cacau do mundo – explicou Luzia.

– Quando eu chegar lá, vou me lambuzar de tanto comer chocolate! – comemorou o menino, lambendo os beiços.

– Mano-Loco, não sei se você vai poder – alertou Luzia. – Infelizmente, o cacau é exportado do jeito que é colhido.

– Que pena! – lamentou Mano-Loco. – Já estava pensando em viver para sempre em São Tomé, porque acho que, com o cheiro de chocolate, eu jamais sentiria falta de ar.

Todos riram com o estilo "sem noção" do amigo e passaram a acompanhar o voo do Ícaro, que quase tocava o mar. O frio na barriga aumentava com o número cada vez maior de dúvidas e perguntas sem respostas. Como Jack Stress conseguia decifrar as mensagens e andar pelos países com sua língua doida? O que ele entendia do código de Camões? Haveria alguma espionagem na base? Ou a bordo do Ícaro? Seria mesmo o portulábio um instrumento mágico? Que surpresas o instrumento reservava? Haveria realmente um valioso tesouro no Brasil? E a professora Felícia, teria sumido para sempre?

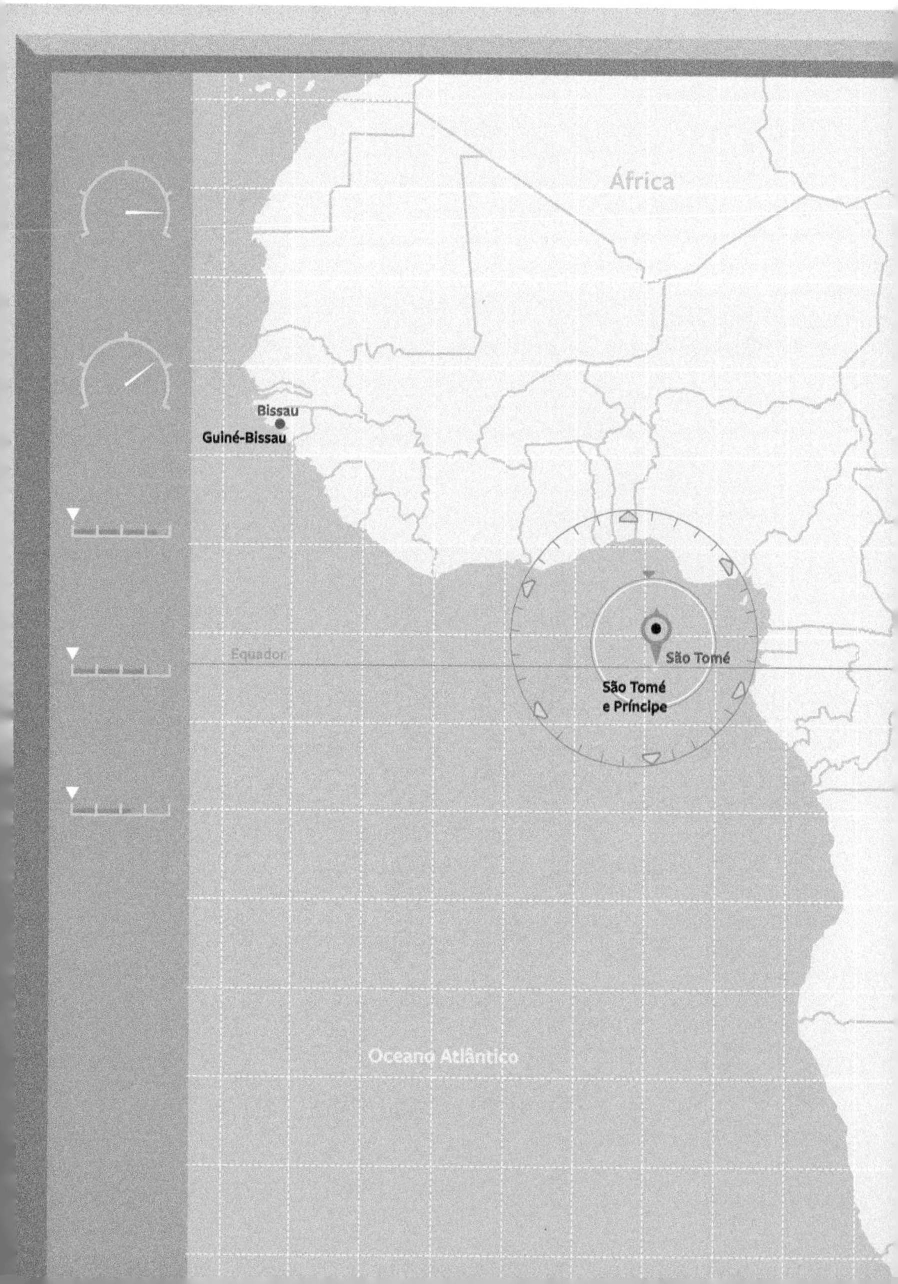

Na Boca do Inferno!

14

Poucas horas mais tarde, ao lado esquerdo do Ícaro, surgiu Príncipe, uma das duas ilhas que davam nome ao país e situada a cerca de duzentos quilômetros do continente africano. E voando mais alguns minutos em direção ao sul, os Natos avistaram uma ilha maior, bastante montanhosa e irrigada por incontáveis riachos: São Tomé. Descoberta pelos portugueses antes do Brasil, esse pequeno paraíso enfrentara o terror dos tempos do tráfico de escravos, porém jamais perdera o seu encanto. O vento forte despertava os sonolentos coqueiros à beira-mar, chacoalhando-os para que saudassem os recém-chegados.

– Aeroporto de São Tomé, aqui prefixo PT ÍCARO. Solicitamos autorização para pouso – anunciou Agente E, que ia... Ah... dizer... Ah... mais alguma... Ah... Atchim!

– *Santinho*, saúde! *Aterragem*, aterrissagem, autorizada. – respondeu a torre de comando, com sotaque lusitano.

Ícaro contornou uma ilhota, enquanto o grupo admirava a Ilha de São Tomé. Ao fundo, um pico vigiava, como sentinela, o Parque Nacional Obo. Mestre Alceu acionou o trem de pouso, o avião balançou e, às onze horas, desceu mansamente na quarta escala. Em apenas dois dias de viagem, os Natos cumpriam com folga A Volta ao Mundo.

Ao saírem do avião, foram saudados por um sorridente homem de dois metros de altura usando trajes locais com cores tão berrantes que quase abafavam as suas palavras.

– Bem-vindos a São Tomé, capital de São Tomé e Príncipe. Meu nome é Ernesto Almeida, sou cantor e vim recepcioná-los.

Mano-Loco apresentou o grupo e, assustado com os acontecimentos da etapa anterior, perguntou sobre a situação da ilha:

– Como vai a vida por aqui?

– *Leve, leve* – respondeu Ernesto à moda santomense.

O momento não podia ser mais agradável naquela paradisíaca parte do mundo, abençoada pelo sol. Sem Jack Stress por perto e acolhidos por gente cordial, eles se sentiram muito à vontade naquelas terras.

Mestre Alceu decidiu ir ao centro comercial, pois era necessário comprar material para fazer a manutenção do avião.

– Enquanto vocês procuram a nova mensagem, acho melhor ver se está tudo certo com o Ícaro – disse ele.

– Ah, Mestre, não se esqueça de comprar repolho, de preferência bem passado. É bom sempre ter esse poderoso vegetal em estoque. – lembrou Mano-Loco.

Mestre Alceu riu e não resistiu a brincar com sua própria sorte:

– Vejam onde o velho Mestre foi parar:
em uma missão misteriosa pelo céu e pelo mar
que agora depende do gás da demência para ganhar
e do efeito de um repolho podre que um pupilo vai esguichar!

O santomense não podia acreditar no que acabara de escutar. Um professor recitando aquele monte de bobagens? E mal podia esperar pelo que vinha pela frente, visto que Mano-Loco devolveu:

– Ah, lá vem o Mestre com sua incrível e brilhante sabedoria
dando suas belíssimas lições de moral noite e dia.
Mas, se ele cheirar o gás da doideira, só vai falar porcaria!

Todos deram estrondosas gargalhadas, até mesmo Mestre Alceu. Tinha a convicção, e por sabedoria mesmo, de que a descontração era fundamental para levar a vida e para suportar as dificuldades de uma missão como aquela. No entanto, era hora de voltar ao trabalho. Ele, como sempre, levantou a mão direita e decretou que retomassem a busca da pista com seriedade:

– Basta! Jovens, corram atrás da próxima pista! Desejo boa sorte a vocês!

Mano-Loco, Helô e Agente E solicitaram um barco para irem até a Boca do Inferno. Ernesto tratou de levá-los até o porto e fez questão de deixá-los se sentirem em casa:

– Está bem, fiquem à vontade na nossa terra. Falamos a mesma língua que vocês e temos muitos outros laços culturais. Vocês são muito queridos aqui. E não se preocupem, pois São Tomé e Príncipe é tão seguro que não precisarão contratar *gorilas* para andar por aí! Só tomem cuidado com o calor, senão podem *virar barata*!

Mano-Loco estranhou as palavras que o santomense usou:

– Gorilas? Virar barata? Então, quando as pessoas se sentem inseguras elas contratam gorilas. E o calor pode fazer alguém virar barata? Está parecendo com o que disse a professora Felícia, quando fez aquela declaração sem pé nem cabeça. Disse que virou barata e acordou entre dois gorilas.

– Deixe-me explicar. Gorila, aqui em São Tomé e Príncipe, significa guarda-costas, ou também pode ser usado no sentido de capanga – explicou o paciente anfitrião.

– E virar barata? – perguntou Helô, com expressão de nojo.

– Estava apenas a brincar. Virar barata é o mesmo que pirar, perder o juízo.

– Hum, sei, sei – balbuciou Mano-Loco. – Quando voltarmos ao avião, sugiro que leiamos a declaração da professora Felícia com mais atenção. Estou começando a desconfiar de algo.

No pequeno porto, crianças descalças corriam alegremente com brinquedos simples, feitos de lata e cana. A fachada das casas da capital os remetia a vilas portuguesas. Mano-Loco, Helô e Agente E seguiram em direção ao sul da ilha em um barco a vela, cheio de gente animada, que não parava de cantar e dançar os ritmos da ilha. A areia das praias reluzia como ouro branco, e as águas transparentes e claras retratavam o espírito daquele povo hospitaleiro.

Viram vilas de pescadores, com suas cabanas construídas sob coqueiros, abrigando-se do forte sol da África equatorial. Ao passar por um povoado, puderam avistar, ao longe, a assustadora Boca do Inferno: era uma gruta que, literalmente, cuspia a água do mar para fora.

– Não é à toa que tem esse nome – comentou Mano-Loco. – Vejam a violência do mar!

– E nós teremos de ir até lá! – completou Helô, aflita.

Mal o barco ancorou, os Natos saltaram na praia e seguiram em direção à gruta. Apesar de estarem acostumados a andar sobre rochas em Fernando de Noronha, a caminhada para a Boca do Inferno foi uma operação difícil, que exigiu muito equilíbrio e cuidado para que não caíssem. Ao se aproximarem, notaram que a gruta era cortada ao meio pelas águas do mar.

Os Natos vasculharam o lado em que estavam da Boca do Inferno, porém não encontraram nenhum sinal, nenhuma frase, nenhum desenho, nada que pudesse ser uma pista do poeta.

Mano-Loco, suando sob aquele sol escaldante, disse à colega:

– Helô, pegue o binóculo na minha mochila e veja se consegue encontrar alguma coisa do outro lado.

A vaidosa portuguesa primeiro limpou seus óculos e ajustou a gola da camisa. Depois pegou o binóculo, apontando-o para as rochas da gruta.

– Não consigo ver nadinha.

– Então teremos de passar por cima da água e ir até lá – lamentou Agente E.

Os três sentiram calafrios ao ouvir a fúria das ondas. Aquela boca gigante, traiçoeira, exibia duas rochas pontiagudas, que pareciam dois caninos afiados, e não parava de engolir e cuspir a água do mar, como se estivesse salivando, ávida por saborear aqueles petiscos que caminhavam pelos seus lábios.

– Teremos de praticar um pouco de alpinismo – concluiu Mano-Loco.

Helô começou a escalar as rochas e foi seguida por Mano-Loco e Agente E. Pendurados na borda da gruta, os três avançavam lentamente. De repente, Helô se apoiou em uma saliência escorregadia e não conseguiu se segurar.

– Socooorro!!! – gritou, aterrorizada.

Por uma fração de segundos, a menina esteve em queda livre, porém felizmente Mano-Loco esticou sua mão a tempo e Helô segurou com firmeza no pulso do amigo. Agente E não podia fazer nada.

– Aguente mais um pouco, Helô. Faltam dois metros para

chegarmos ao outro lado. Tente agora segurar-se nas minhas costas!

Helô mais uma vez cravou suas unhas no amigo. Apesar do perigo, Mano-Loco, ao perceber o rosto de Helô colado à sua cabeça, sentiu um estranho calafrio. Os corações de Mano-Loco e Helô batiam tão alto que eles nem se davam mais conta do barulho das ondas. Os lábios dos dois então se aproximaram e quando iam começar a se beijar...

– Tchibum! – subitamente um estrondo ensurdecedor da Boca do Inferno fez com que abrissem os olhos e percebessem que já estavam sãos e salvos do outro lado da pequena gruta. Voltaram suas atenções para a busca da mensagem. Leves, Mano-Loco e Helô, acompanhados por Agente E, embrenharam-se pelas rochas. De repente, algumas marcas meio apagadas, sobre uma rocha em forma de charuto, chamaram a atenção do trio.

– Vejam aquele desenho! É a cruz dos templários! – gritou Helô. – E não é só isso, tem mais coisa ali. Olhem, amigos: um monte de palavras! Quatro versos! Deve ser mais uma mensagem do Camões!

Com muito esforço, os Natos aproximaram-se e conseguiram ler o que parecia uma nova mensagem:

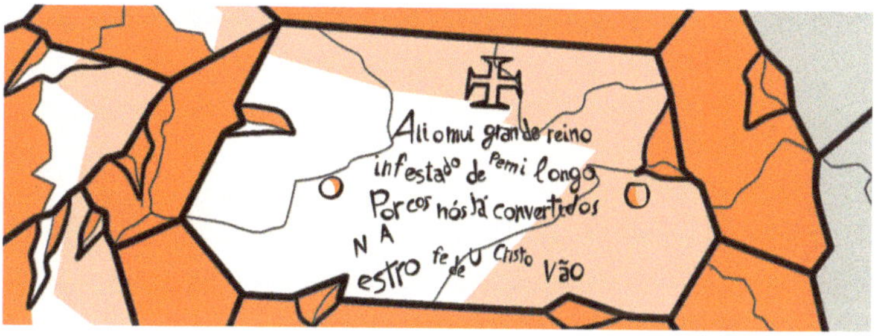

– Porcos? Isso tem a ver com o código de Camões? O poeta está brincando conosco? – disse Mano-Loco, aos berros.

– Deixe eu ver isso com mais detalhes, e com o portulábio – disse Agente E, que aproximou o instrumento da inscrição.

A parte apodrecida, que coincidia com as duas bolinhas laterais, ao cobrir os versos, tapou algumas palavras e, como em um passe de mágica, outra frase apareceu:

Ali o mui grande reino
Está de Congo
Por nós já convertidos
À fé de Cristo

– Ah, agora sim! Faz muito mais sentido! – exclamou Helô.

– Sim, Congo é um país! – bradou Mano-Loco.

– Mas não pode ser lá, pois no Congo se fala francês! – disse Helô.

– Então, qual será o próximo destino? – perguntou Agente E.

A garota refletiu por alguns instantes. Então, pegou no bolso os mapas da viagem e, ao compará-los, concluiu:

– Sim, mas Camões está se referindo ao Congo de antigamente! – disse Helô, eufórica. – A região que, naquela época, era chamada de Congo, hoje também é Angola!

– Você disse Angola?! – animou-se Agente E.

– Isso mesmo! Angola, o país do Tobi! Os angolanos falam português!

– Então, deve ser o nosso próximo destino! E dá tempo de chegarmos lá ainda hoje com folga – completou Mano-Loco, notando, ao olhar no seu mapa, que Angola ficava próximo a São Tomé.

Com cautela redobrada, cruzaram novamente a gruta e chegaram ao pequeno ancoradouro. Com o esforço dos velejadores que os aguardavam, voltaram rapidamente para o aeroporto. No caminho, contaram as novidades para Mestre Alceu por rádio e então curtiram uma animada festa a bordo. Helô, exímia dançarina, pegou logo o ritmo da dança dos santomenses e estava dando uma exibição de socopé.

O clima de descontração que os unia só foi quebrado pelo barulho de um jato, que varou o céu da ilha, passando a baixa altitude. Era...

– Jack Stress! – gritaram.

O megaempresário foi saudado por uma sonora vaia. Os simpáticos ilhéus e a criançada, em especial, deram adeus ao quarteto, acenando e dizendo à moda local:

– *Tchaué! Tchaué!*

Ao chegarem ao aeroporto, cruzaram com Jack Stress, que vinha à frente em uma perua, visivelmente contrariado. No banco de trás, seus Stress Boys abriram as janelas e insultaram os Natos com palavrões.

– Hahahaha... Logo, logo *game over*, fim de jogo pra vocês... M.I.V.P.! – gritaram, querendo dizer Moleques Imbecis Vão Perder.

Mano-Loco, sem entender direito, deu mais um alegre *tchaué* para os inimigos.

Mestre Alceu encontrou-os no saguão do aeroporto de São Tomé. Seguiram conversando animadamente pelo pátio do aeroporto e, então, subiram a pequena escada de metal que dava acesso ao Ícaro. À medida que entravam no avião, uma sensação de pavor foi tomando conta de todos. Os mapas estavam amassados e jogados no corredor. Mochilas e o computador portátil abertos, com discos espalhados por toda a cabine. E Helô notou que seu estojo de maquiagem fora revirado. Ela, que não gostava de bagunça, perdeu pela primeira vez as estribeiras:

– Quem foi o ladrão que mexeu nas minhas coisinhas! Alguém entrou aqui! Até posso imaginar quem tenha sido!

– Só pode ter sido este vigarista do Jack Stress! – deduziu Mano-Loco.

– Ele está passando dos limites – acrescentou Agente E.

– Sem dúvida! – completou Mestre Alceu, preocupado.

Depois de vasculharem todo o avião e verificarem seus pertences, concluíram, aliviados, que nada havia sido roubado.

– Jovens, eles entraram aqui apenas para nos assustar – disse Mestre Alceu.

– Ou para procurar o portulábio – acrescentou Mano-Loco.

Em seguida, acomodaram-se na aeronave e deram partida. Os motores do Ícaro zumbiram, o avião tomou impulso e logo alcançou mais uma vez os céus do Atlântico. Ao passar pela ilhota das Rolas, cruzaram a linha do Equador e deixaram o Hemisfério Norte.

Mano-Loco desafivelou o cinto e procurou relaxar. Estava aliviado, porém pensativo. Em menos de três dias, haviam passado por quatro países e caminhavam para a metade da Volta ao Mundo, à frente de Jack Stress. Sentia-se feliz em estar vencendo e poder provar a força da língua portuguesa pelas terras por onde passaram. Entretanto, algo o incomodava cada vez mais: a declaração da professora Felícia. Aquelas palavras não se encaixavam. Não era apenas porque pareciam sem pé nem cabeça. Havia algo ainda mais estranho. Teria ela tentado dizer outra coisa? Por que teria sumido então? E para onde teria ido?

Suspense nas alturas

15

Após aquela tempestade de pensamentos, que quase fazia Mano-Loco *virar barata*, o garoto consultou o mapa da África e ficou surpreso com o tamanho de Angola.

– Nossa, como o país do Tobi é grande!

– E é mesmo. Angola tem uma área maior do que Portugal, Espanha e França juntos – disse Mestre Alceu.

– Pois é, não vai ser nem um pouco fácil encontrar a próxima pista nessa imensidão – completou Mano-Loco. – Helô, qual foi mesmo a mensagem que nós deciframos em São Tomé?

– O poeta mandou escrever nas rochas "Ali o mui grande reino está de Congo por nós já convertidos à fé de Cristo".

– Agente E, você, que não para de pensar, aonde acha que Camões quer nos levar? – indagou Mestre Alceu.

– Bem, o poeta falou em "convertidos à fé de Cristo"...

– Hummm, fé de Cristo. Isso remete a outra igreja. Deve existir um monte de igrejas em Angola. Eu acho melhor conectarmos a base para avisar para onde estamos indo e ver se eles têm alguma ideia melhor – disse Mestre Alceu, acessando, em seguida, a base em Fernando de Noronha.

– Aqui Luzia na escuta.

– Luzia, aqui é do Ícaro. O Jack Stress ficou para trás e estamos indo para Angola!

– A terra do Tobi! Puxa, pena que ele não esteja aí.

– Luzia, quando os portugueses chegaram a Angola? – perguntou Agente E.

– Um navegante chamado Diogo Cão chegou lá em 1482. E logo tratou de deixar um aviso aos navegantes de outros países.

– Aviso? Mas que tipo de aviso? – perguntou Mano-Loco.

– Era um baita de um aviso! Os portugueses, ao descobrirem um novo território, tinham por hábito fincar na terra um enorme pilar de pedra, com cerca de dois metros de altura, com a cruz dos templários no alto, presa com chumbo: eram os chamados padrões, uma marca da "fé de Cristo".

– Fé de Cristo! A cruz dos templários de novo! Então a nossa pista não está em igreja coisíssima nenhuma. Ela deve estar no padrão deixado em Angola. – concluiu Agente E.

– Calma. Há um "porém" – interveio Luzia. – Na sua primeira viagem, Diogo Cão deixou dois padrões por essas terras que, mais tarde, foram levados para museus na Europa. Para nossa sorte, um deles está temporariamente em exposição na fortaleza que fica em Luanda.

– Então, vamos torcer para que a próxima mensagem esteja nesse padrão – disse Mano-Loco, preocupado.

– Bem, não vamos perder tempo. Vamos para Luanda! – decretou Mestre Alceu.

Ícaro disparou, com a ajuda dos ventos, em direção à metrópole, no litoral de Angola. Depois de decidirem sobre a próxima escala, Mano-Loco lembrou-se daquelas palavras malucas da estranha declaração da professora Felícia e, em contato com a base, disse a todos:

– Amigos, há uma coisa que está me deixando intrigado.

– O que é? – perguntou Mestre Alceu.

– Aquela declaração da professora Felícia, que fez com que todo mundo pensasse que ela estava doida – disse, em tom sério. – É interessante que, em cada país pelo qual passamos, descobrimos o significado daquelas palavras. Estou começando a achar que aquele comunicado da professora pode ter outro sentido.

– Afinal, que comunicado é esse? – perguntou Agente E.

– Eu vou ler pra você – disse Helô, abrindo um arquivo do computador com as palavras da mestra timorense.

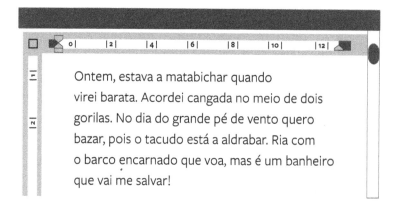

> Ontem, estava a matabichar quando
> virei barata. Acordei cangada no meio de dois
> gorilas. No dia do grande pé de vento quero
> bazar, pois o tacudo está a aldrabar. Ria com
> o barco encarnado que voa, mas é um banheiro
> que vai me salvar!

– Nossa, o que é isso? Ela pirou? – reagiu Agente E.

– É o que parece – concordou Mestre Alceu, com o olhar fixo no horizonte, como se estivesse vendo aquele sorriso inesquecível da amiga de quem ele tanto gostava.

– Vimos na Guiné-Bissau que *matabichar* é uma palavra do português daquele país que significa tomar café da manhã – lembrou Mano-Loco.

– E *virar barata* é ficar sem juízo, fora de si, para o povo de São Tomé e Príncipe – falou Helô.

– Isso mesmo. E lá também descobrimos o significado de

outra palavra: *gorila*, que é o mesmo que capanga – continuou Mano-Loco.

– Em Portugal, aprendemos que *ria* também significa um braço do mar que parece uma baía – acrescentou Agente E.

– E *aldrabar* é mentir, enganar – completou Mestre Alceu.

– Estão vendo! A declaração da professora Felícia começa a ter outro significado – concluiu Mano-Loco, que então tratou de retomar a fala da professora, substituindo algumas daquelas palavras, que antes pareciam não fazer sentido: – "Ontem, estava tomando café da manhã quando perdi o juízo. Acordei cangada nas mãos de dois capangas. No dia do grande pé de vento quero bazar, pois o tacudo está enganando. Baía com o barco que voa, mas é um banheiro que vai me salvar!"

– É, a declaração ainda continua meio esquisita, mas tudo indica que tem algo oculto nessas palavras, e precisamos descobrir o que é – disse Mestre Alceu. – Vamos ver se em Angola vocês encontram mais alguma coisa.

– Então, *fofo*, será que o português falado nesses países é diferente? – perguntou Helô.

Fofo! Pronto, lá estava o Mano-Loco com mais um surto, abrindo a guarda, tremendo, piscando e quase se entregando.

– De novo, Helô?! Eu sei que-que me-meu coração ja-jamais por *ti gela* e por isso um dia vou na-*namorar com*...

Mestre Alceu, atento às mancadas do pupilo, não perdoou:

– Se em Angola bué *significa muito, bastante,*
Mano-Loco será chamado de bué doido a todo instante!

Seu rival nos duelos à moda de repentistas não resistiu à provocação e revidou:

– Que desgraça aconteceu quando fui a Fernando de Noronha,
pois de lá parti numa missão com um Mestre que sonha
em ser animador de manicômio e beijar um chimpanzé,
mas, cá entre nós, êta professorzinho sonso, avoado e lelé!

Mestre Alceu riu com gosto e logo interrompeu a troca de gentilezas, levantando a mão direita. Então, respondeu à pergunta de Helô sobre as diferenças da língua portuguesa em cada país:

– Jovens, realmente há palavras e expressões que nos soam estranhas. O sotaque também varia e o linguajar em alguns países de África é mais parecido com o de Portugal.

Quando todos ainda refletiam sobre a explicação de Mestre Alceu, Agente E subitamente gritou, exultante:

– Vejam! Terra à vista!

O continente africano novamente deu sinal de vida. E bota vida nisso. Uma cidade enorme se delineava no horizonte: a capital de Angola, Luanda, cheia de prédios, viadutos e pontes.

Mestre Alceu pediu autorização para aterrissar no aeroporto, a qual foi prontamente concedida. Ao acionar o trem de pouso, no entanto, não obteve resposta. Ele tentou mais uma vez e nada. Ícaro parecia um sonâmbulo no ar e não despertava. Como poderiam aterrissar? O jeito era procurar algum rio. Mestre Alceu acionou, então, os flutuadores. Mas estes também não responderam.

– O painel de controle está falhando! – gritou Agente E.

– Ai, ai-ai, ai-aizinho – disse Helô, preocupada.

– Como isso foi acontecer? – berrou Mestre Alceu.

Naquele instante, uma mensagem eletrônica entrou no computador. Era uma pequena mensagem de Jack Stress, que todos leram em coro:

Game over, boys! Final de jogo, OK?!

– Não, esse cara de novo, não! Fomos sabotados! – completou Mano-Loco, ensandecido.

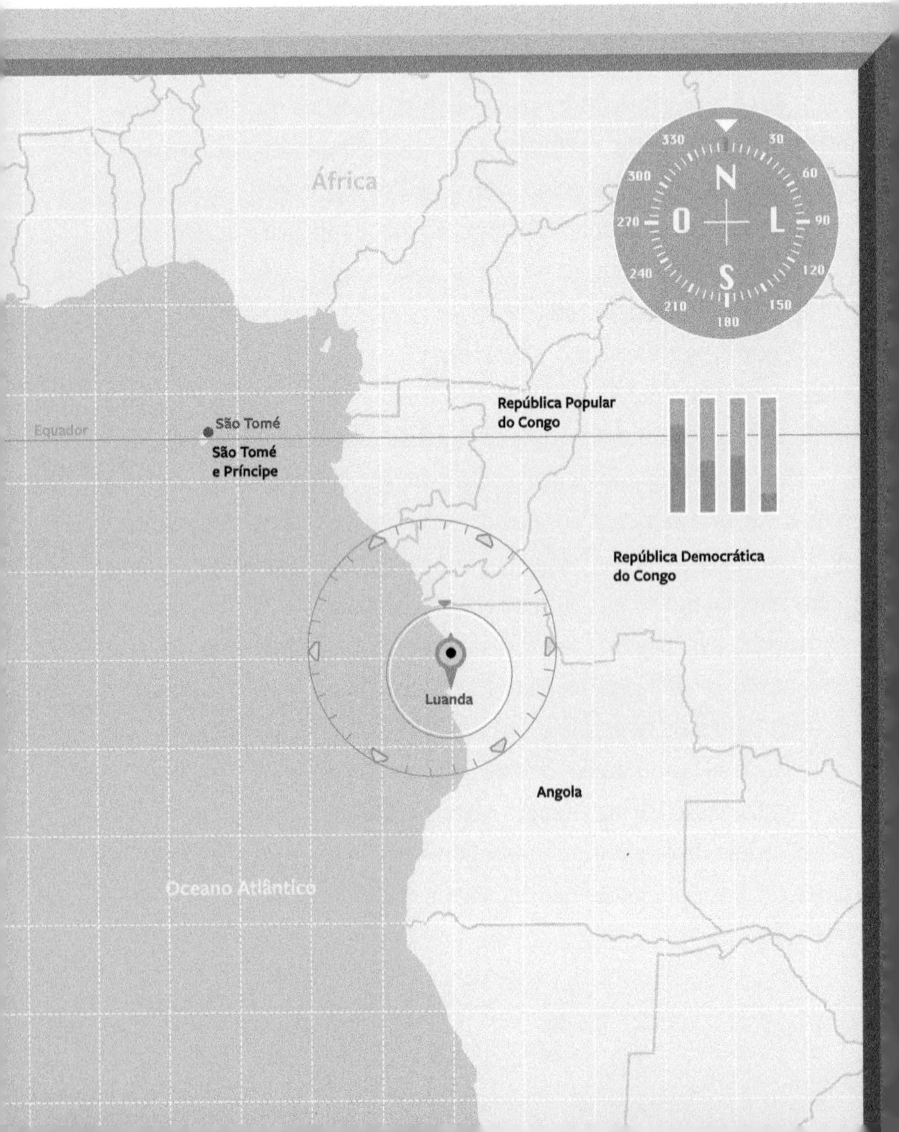

Na terra de O Pensador

16

– Essa não, o Jack Stress deve ter danificado os cabos de comando! Estamos voando à deriva! – gritou Mestre Alceu. – Vamos acionar o sistema de emergência! Teremos de planar! – ordenou.

– Planar? – perguntaram em coro.

– É a escolha mais segura.

O Ícaro voava a baixa altitude e perdia velocidade. Luanda estava cada vez mais próxima. Em poucos minutos eles a sobrevoariam. Não podiam deixá-la para trás.

– Mano-Loco! – chamou Mestre Alceu, em tom sério, piscando para o garoto que ele tanto admirava.

O Nato lembrou que, nas missões mais perigosas, ele deveria agir rápido.

– Mestre... Eu vou!

– Vai aonde? – perguntou Helô, preocupada.

– Vou saltar de paraquedas. Temos de ir atrás da mensagem. E agora! – anunciou, decidido, e então completou: – Vou deixar meu equipamento de emergência com vocês. Se precisarem, usem o gás da doideira em aerossol. Tem um restinho. Bom proveito!

– Você está louco? – perguntou Helô.

– Sempre foi, mas já nos ajudou bastante – antecipou-se

Mestre Alceu, tentando descontrair um pouco.

– Eu sou um Loco – o garoto respondeu, orgulhoso, enquanto vestia o aparato para saltar.

– Não temos opção – sentenciou Mestre Alceu. – Entramos nessa disputa para ganhar. Teremos de nos dividir e usar as armas que possuímos. Enquanto Mano-Loco vai atrás da mensagem, vamos procurar um lugar seguro para pousar. No solo, teremos mais tempo para consertar o painel de comando.

Mano-Loco foi ajudado pelos amigos a fazer os ajustes finais no paraquedas. O avião estava prestes a sobrevoar a orla, o ponto ideal para saltar. Dali, o Nato chegaria à praia e estaria bem próximo da avenida que dava acesso à fortaleza onde o padrão de Diogo Cão estava em exposição.

– Pegou o portulábio? – perguntou Mestre Alceu. – E o rádio? O sinal não vai ser bom, mas pode ajudar.

O garoto, concentrado, apenas levantou o dedo polegar.

– Louquinho, cuidado! – pediu Helô.

– Vai dar tudo certo! Eu gosto muito de... – começou a dizer, mas se sentiu bloqueado. Em seguida, Mano-Loco saltou. Àquela altura, estavam sobrevoando a Ilha de Luanda.

Agente E fechou a porta do avião e juntou-se ao grupo para assistir ao voo do Nato. Respiraram aliviados quando viram aquele guarda-chuva gigante flutuar no ar, como um dente de leão assoprado por uma criança.

Para quem assistiu de longe, Mano-Loco parecia brincar no ar. Ledo engano: foi literalmente uma queda de peso. Como se o garoto tivesse sido sugado pelo solo angolano. Mas, graças ao treinamento intensivo em Fernando de Noronha, ele conseguiu pousar em terra, são e salvo. Ou melhor, pousar na areia de uma praia. Apesar de cair sobre uma superfície fofa, Mano-Loco ficou desacordado por alguns minutos. Despertou com as vozes de uns garotos que jogavam futebol por ali.

– Ele morreu?

– O *gajo*, o cara, deve ser *bué* louco, muito louco!

O portentoso paraquedista, além de tudo, estava preso entre as cordas e levou algum tempo para conseguir levantar-se.

– Ei, pessoal, vocês podem me ajudar?

– Ele está vivo!

– Mas parece que está... *cangado*!

– *Cangado*? – perguntou Mano-Loco.

– Sim, parece que está preso em uma cela.

– Então, *cangado* em Angola significa preso – disse Mano-Loco, lembrando mais uma vez do comunicado da professora.

Quando ele se identificou, enquanto tentava se levantar, dizendo de onde vinha, o grupo ao seu redor o saudou calorosamente e, em seguida, o ajudou a ficar em pé. Os angolanos, festivos e animados, eram excelentes anfitriões.

Mano-Loco aproveitou o clima de descontração e perguntou qual era o melhor caminho para se chegar ao local onde estava o padrão de Diogo Cão.

Não faltaram voluntários para não só ajudá-lo a arrumar e dobrar o paraquedas, como para orientá-lo sobre como chegar ao tão famoso pilar. No trajeto até a fortaleza, que se encontrava no alto de uma colina, o Nato deparou-se com uma cidade de trânsito intenso, em que os carros formavam um mosaico de cores e sons!

Subiu uma ladeira tão íngreme que teve a impressão de estar andando em uma escada rolante no sentido contrário. Subia, atravessava ruas e tinha sempre mais ladeira para subir. Ia passando por prédios, casas, prédios, casas, casas, prédios. E tome ladeira! Não acabava nunca! Finalmente, chegou à fortaleza e logo viu o "monumento móvel", que, por sorte, não estava sendo vigiado. Parecia um pino gigante, confeccionado em pedra. Na parte superior, havia o escudo das armas do reino de Portugal e, um pouco mais ao alto, uma cruz dos templários. Um letreiro em relevo anunciava o rei que mandara descobrir novas terras, assim como o nome de Diogo Cão e o ano, 1482.

– *Bué fixe*! – disse o garoto, à moda angolana, todo arrepiado diante de um monumento tão importante para a missão dos Natos.

A noite já tomara conta da capital de Angola. Por um momento, o pensamento nos amigos em apuros invadiu sua cabeça. Ligou o rádio e, sem obter resposta, começou a pensar no pior. "Onde estariam naquele momento? Teriam descido em algum rio? Mestre Alceu teria conseguido fazer os instrumentos funcionarem?" Um calafrio percorreu a espinha do garoto, porém, pensando em Helô, procurou ser otimista como ela e decidiu concentrar-se na sua missão.

Mediu o padrão de baixo até o topo, olhou, pensou, olhou, pensou, olhou, pensou, olhou e então começou a falar alto:

– Fé de Cristo, fé de Cristo – disse repetidamente, lembrando-se da estrofe de Camões que haviam decifrado. – Fé de Cristo... Ah, já sei! Vou averiguar a cruz lá no alto.

O Nato não podia vacilar. Teria de fazer mais uma operação de alpinismo, escalando um pilar, cuja parte superior, mais larga, dificultaria seu trabalho.

Tomando o máximo de cuidado para evitar novos sustos, ele alcançou o topo do pilar. Não havia nenhuma mensagem à vista. Pegou o portulábio, que estava no seu bolso, e examinou mais detalhadamente a cruz através da lupa vermelha. "Será que ela foi reformada?" – pensou, ao ver uma camada extra, que parecia uma massa, na base da cruz. De repente, um pássaro deu um voo rasante sobre o garoto. Com o susto, ele deixou o portulábio escapar da sua mão, mas, por puro reflexo, pegou-o no ar. E, ao pressionar o instrumento do poeta, seu dedo sangrou. A borda cortara seu polegar. Era como se aquela peça fosse uma lixa.

– Iish! Que lixa... Lixa? LIXA! – gritou. – Isso, o portulábio é também uma lixa! Camões é que deve ter mandado colocar esta camada de massa no padrão. Se eu lixá-la com o portulábio, encontrarei alguma coisa.

E começou a friccioná-la em torno da cruz.

Lixa-lixa, lixa-lixa e lixa-lixa, lixa-lixa. O calor do verão angolano não se intimidava com a noite, o que fez com que a camisa do garoto ficasse encharcada de suor. Continuou a lixar e lixar. À medida que o tempo passava, sua ansiedade aumentava.

Mano-Loco já estava cansado, porém, em um acesso de fúria, imprimiu mais força, esfregando a ferramenta mágica na parte frontal da cruz e... lixa-lixa-lixa-lixa, lixa-lixa-lixa-lixa, até que notou algo diferente se delineando, porém era um adorno. Uma simples decoração.

Lixou mais um pouco e finalmente encontrou algumas palavras. Aproximou a lupa e pôde ler claramente a frase "FOGO NO CORAÇÃO MAURO". Ficou emocionado. Mas...

– Ei, *puto*, menino, saia já daí! – gritou subitamente um militar, caminhando nervosamente em direção ao padrão.

O garoto perdeu o equilíbrio, escorregou pelo pilar e chegou ao chão com as pernas inteiramente arranhadas.

– O que estava a fazer lá em cima? – ralhou o soldado.

– Deixe-me explicar – interveio Mano-Loco, pensando rápido. – O senhor sabe, essas aves e seus dejetos. Tive de passar a

lixa para tirar a crosta que se formou na cruz. Agora o padrão está limpo!

– Tu és muito esperto – disse, cismado. – Vá embora daqui antes que resolva prendê-lo.

Sem ter conseguido desvendar a mensagem "Fogo no coração mauro" e entender aquela estranha decoração, Mano-Loco pegou suas coisas em silêncio e se embrenhou pela noite de Luanda.

Depois de terem visto o paraquedas do companheiro misturando-se à paisagem, os tripulantes do Ícaro passaram a concentrar sua atenção no pouso de emergência. A noite chegou, quando o avião começou a planar. Os Natos o manobravam com dificuldade e, de tanto insistir, conseguiram que o trem de pouso do

Ícaro baixasse. Sobrevoavam uma região montanhosa, cortada por rios acidentados e com uma vegetação densa. Ligaram o rádio de baixa frequência em busca de alguma orientação em terra:

– Aqui PT ÍCARO falando. Nosso plano de voo era Luanda, mas precisamos fazer um pouso de emergência. Onde estamos? – Agente E perguntou com firmeza, na esperança de que sua mensagem fosse captada por algum aeroporto. E foi, mas antes não tivesse sido.

– Saiam daqui imediatamente, senão serão abatidos! Vocês estão na região dos diamantes, de ocupação guerrilheira – uma voz respondeu, em tom hostil.

– Entramos na região de Angola que é dominada por uma guerrilha – exclamou Mestre Alceu.

– Estranho... – comentou Helô. – Vi na televisão, e isso já faz um bom tempo, que os guerrilheiros assinaram um tratado de paz com o governo, encerrando com uma guerra de vinte e cinco anos.

– Então deve ser um bando de zarolhos, que não perceberam que a guerra terminou – disse Agente E. – Mas por que essa guerra durou tanto tempo?

– Os guerrilheiros controlavam as valiosas minas de diamante – explicou Mestre Alceu. – Angola é muito rica em petróleo também. Por isso, tem sempre tanta gente interessada na terra do Tobi.

Tentaram entrar em contato com a base, porém o painel pifou de vez. A situação ficou dramática. Ícaro perdia rapidamente altitude, em meio a uma visibilidade cada vez menor. A mata fechada estava cheia de ameaças: árvores, rochedos, guerrilheiros e animais ferozes.

O avião chacoalhava, subia um pouco e descia novamente.

Parecia espernear com medo de pousar e ter de enfrentar tantos perigos. Finalmente, avistaram uma estrada de terra em meio à escuridão. Não havia escolha, era naquele lugar que deveriam aterrissar.

– Vamos pousar aqui! Segurem-se! – ordenou Mestre Alceu. – A descida vai ser dura!

O avião tocou o chão, levou um tranco, subiu alguns metros, tornou a descer, tocou mais uma vez a estrada de terra, subiu e, quase que a contragosto, finalmente pousou na pista "improvisada", parando trezentos metros à frente, envolto em uma nuvem de poeira. Ao abrirem a porta, foram acolhidos por um vento quente.

– Isso é que é uma recepção calorosa – brincou Agente E, enquanto pisava no solo angolano.

Helô, ao sair, disse com dificuldade:

– Nossa, acho que estou com tontura. Estou vendo árvores de ponta-cabeça!

– Não, Helô – corrigiu Mestre Alceu, rindo-se gostosamente. – São embondeiros, árvores tipicamente angolanas, que parecem estar de pernas para o ar, com seus galhos em forma de raízes.

– E agora? O que vamos fazer? – gritou Agente E.

– Psiu! Silêncio! – sussurrou Mestre Alceu. – Não podemos chamar a aten... – mas não conseguiu terminar a frase.

– Amigos, vejam que bela caça! – uma voz aterrorizadora deixou-os arrepiados.

Bem à frente do Ícaro, um homem, vestindo roupa de militar, com uma boina vermelha, apontava ameaçadoramente uma metralhadora na direção dos Natos.

O trio gelou. Era um guerrilheiro. Se fossem apanhados estariam encrencados, e A Volta ao Mundo, comprometida. Aquele homem, com toda certeza, não estava nem um pouco interessado naquela disputa.

– Um passo em falso e vocês farão a alegria de muito abutre! – disse ele, iluminado por um holofote.

Atrás do soldado, surgiram outros três homens armados.

– Seus intrometidos! O que estão fazendo aqui no nosso território? – perguntou outro soldado.

– Estamos realizando uma volta ao mundo. Vamos... – Mestre Alceu começou a explicar, mas foi logo interrompido.

– Volta ao mundo? Vocês também? – perguntou, surpreso. – Nosso comandante disse que um amigo dele está participando de uma disputa chamada A Volta ao Mundo. Ele está vindo de São Tomé em busca de uma mensagem na capital. E os espiões de nosso grupo vão ajudá-lo.

Era Jack Stress, novamente bem próximo deles. Pelo tipo de amigos que ele tinha, não dava para ter dúvida sobre as intenções daquele bando. Os Natos não podiam demonstrar que estavam competindo com os "amigos" do tal comandante. Contudo, afinal, quem poderia estar ajudando Jack Stress a encontrar as mensagens, além dos guerrilheiros? Como ele conseguia decifrar as mensagens deixadas em código por Camões? Seguramente, por conta própria ele não conseguiria achá-las nem tampouco decifrá-las. Ainda mais sem o portulábio e sem usar a língua portuguesa! Mas as suspeitas dos Natos iam em outras direções: haveria uma escuta na cabine? Teria algum espião infiltrado na base dos Natos?

Mantiveram-se em silêncio e, enquanto o soldado se comunicava pelo rádio com sua base, estudavam uma forma de sair daquela encrenca.

– Temos intrusos na área. São os tripulantes daquele avião. O que fazemos com eles?

A demora em obter uma resposta fez com que os quatro soldados se distraíssem. Enquanto isso, Agente E tirou discretamente de dentro da maleta do Mano-Loco a poderosa lata de aerossol, colocou uma máscara e deu outras duas para seus companheiros. Em seguida, começou a borrifar o gás da doideira pelos ares. E nada. Esguichou. Em vão. Com toda a pressão. Nada. O gás não causou nenhum efeito. Os soldados olhavam com cara de bobos assustados.

– O que é isso, seus *parvos*, tolos, máscaras e bisnaguinha de esguichar água? Vocês erraram de lugar. Amanhã é que é dia de festa: nossa escola de samba predileta vai desfilar em Luanda! Vamos assistir pela TV.

"O prazo de validade do gás da doideira deve acabar logo" – pensou Agente E.

Helô, então, teve uma grande ideia: lembrou-se de O Pensador, figura sagrada para os angolanos. A estatueta fora deixada por Tobi no painel do avião e os acompanhara a viagem toda. Irritado por não receber uma resposta, o soldado fez uma pausa e a garota, como um bom membro dos Natos, não vacilou.

– Estamos em uma missão de paz e, na nossa volta ao mundo, decidimos entregar esta estatueta de O Pensador a uma pessoa que vai participar do desfile de escolas de samba aqui em Angola – disse, enquanto mostrava aquele objeto sagrado.

– Não acredito! O Pensador! É o símbolo da nossa escola preferida! – exclamou o chefe da patrulha, emocionado.

Os demais soldados ficaram boquiabertos. A pequena figura, entalhada em madeira, era de um homem sentado, com as mãos na cabeça e os cotovelos nos joelhos. Representava, entre outras coisas, a reflexão, a ponderação e a cura dos enfermos. Tinha um valor muito grande para os angolanos e de fato surtiu efeito, já que aquele homem, de aparência tão perversa, ficou todo sorridente e disse:

– Então vocês vieram trazer uma estatueta de O Pensador, que estava no Brasil, para ser o grande símbolo do desfile de *nossa* escola de samba? Que ótima ideia de nossos colegas! Este ano seremos os melhores! Faremos ela chegar às mãos dos integrantes da nossa escola o mais rápido possível! – gritava, cada vez mais tomado pelo entusiasmo. – Muito bem, vejo que não vieram aqui para nos espionar nem para nos atacar. Apressem-se! Estão liberados, mas devem partir tão logo estejam em condições. Estaremos atentos.

– Hahahaha! Vamos ganhar o desfile! – gritaram aqueles homens em coro, felizes da vida.

Os Natos ficaram impressionados com o poder daquela estatueta e ao saber que o samba era tão vivo em Angola.

Os guerrilheiros finalmente foram embora e a tripulação passou a procurar as avarias do avião. Mestre Alceu conseguiu arrumar o canal de comunicação pela internet e, com o apoio dos técnicos da base, consertou o painel. Haviam escapado daqueles momentos cheios de apuros graças à poderosa e mágica

estatueta. E, sem dúvida, o Ícaro fora sabotado.

Depois de muito trabalho, armaram uma tenda ao lado de um grande embondeiro, fizeram um lanche e se deitaram. Estavam tão exaustos que nem mesmo o barulho da noite da selva, em clima de Carnaval, com seus sons e berros bem-humorados, impediu que dormissem profundamente.

No dia seguinte, quando o sol raiou, desarmaram rapidamente o acampamento e se prepararam para a decolagem. Mestre Alceu acionou os motores. O Ícaro tomou fôlego e começou a ganhar velocidade. Corria, corria, mas não subia. A pista improvisada terminava logo adiante e o avião não tirava suas rodas do chão. Pela frente, um abismo os aguardava. Faltavam cem metros para o precipício. E o avião continuava a correr, sem conseguir decolar. Cinquenta metros. E nada de o Ícaro levantar voo. Trinta, vinte, dez metros. Sentiam ainda o avião correndo sobre a pista. Dois metros. Um. Despencaram no vazio. Logo abaixo, um riacho encachoeirado, repleto de rochas pontiagudas, seria o destino final do Ícaro e de sua tripulação!

No rastro dos mouros

17

Mestre Alceu, em uma última tentativa, forçou ao máximo os motores do avião, que finalmente responderam. O avião subiu, virou em um ângulo de 90 graus e tomou a direção noroeste rumo a Luanda.

Pouco tempo depois, quando ainda tentavam se refazer do susto daquela decolagem, Mestre Alceu, Agente E e Helô foram surpreendidos por uma voz familiar que irrompeu pelo rádio:

– Alô, pessoal, onde vocês estão?

– Dá-lhe, Mano-Loco! Você está vivo! – gritaram em coro.

– Até que enfim vocês responderam! Natos, encontrei uma mensagem no padrão, mas ainda não consegui decifrá-la – disse o menino. – E vocês, estão bem?

– Sim, apesar do suspense e da falha do seu gás da doideira. – respondeu Helô, radiante por ouvir o amigo. – Estamos indo para Luanda.

– Falha do gás? Bem, vamos nos encontrar no aeroporto, está bem? Lá vocês explicam o que aconteceu.

– Está bem, até já!

Em menos de meia hora, o avião se achava no solo, taxiando rumo ao prédio principal do aeroporto de Luanda, onde o companheiro, carregando sua trouxa gigante, já os aguardava.

Ao abrirem a porta do Ícaro, saltaram rápido e fizeram uma grande festa. Todos pulavam juntos, abraçados, como se estivessem comemorando a conquista de um título. Os funcionários do aeroporto observavam o grupo, sem compreender a razão de tanta alegria.

Mano-Loco, ainda sem fôlego, procurou controlar a euforia de todos, principalmente a sua, e sugeriu que decifrassem a pista encontrada na capital angolana:

– Primeiro, vamos descobrir o nosso próximo destino. Depois, falamos das nossas aventuras em Angola – sugeriu.

– Muito bem, jovens! Em muitas situações vocês já estão conseguindo controlar melhor suas emoções – disse Mestre Alceu. – Acho que as sessões de ioga na nossa escola fizeram muito bem.

Os companheiros da Volta ao Mundo o seguiram, entraram no Ícaro e fecharam a porta. Dentro da aeronave, a temperatura estava mais agradável que lá fora, no escaldante verão angolano.

– Encontrei uns desenhos, como se fossem um enfeite, e a frase “Fogo no coração Mauro”.

– Só isso? – perguntou Agente E.

– Creio que estes enfeites podem significar algo – intuiu Helô.

Mano-Loco pegou uma folha de papel e procurou desenhar a decoração que encontrara na base da cruz.

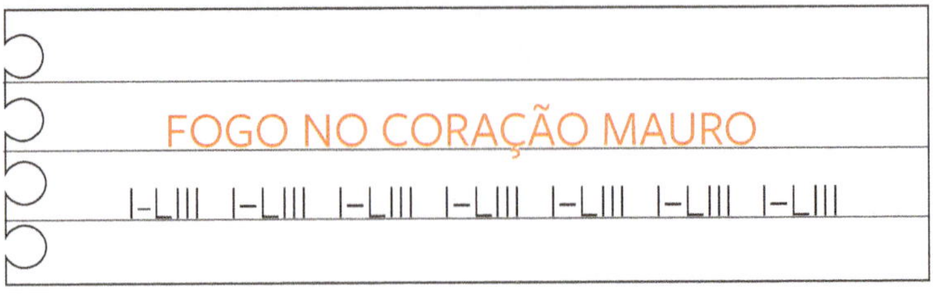

– Ei! Isso são algarismos romanos! – gritou Agente E. – I é 1 e LIII é 53!

– Devem ser versos do poeta! – completou Mestre Alceu.

– Sim! Canto primeiro, estrofe 53! Mais uma mensagem em código de Camões! – disse Helô, que, em seguida, abriu o livro que sempre carregava consigo, limpou a garganta e começou a ler, em alto e bom som:

Somos (um dos das Ilhas lhe tornou)
Estrangeiros na terra, lei e nação;
Que os próprios são aqueles que criou
A Natura, sem Lei e sem razão.
Nós temos a Lei certa que ensinou
O claro descendente de Abraão...

– Abraão... Pode ser um país islâmico. Opa, país islâmico? Essa está difícil – lamentou Mestre Alceu.

– E qual foi mesmo a frase que ele escreveu no padrão? – insistiu Helô.

– "Fogo no coração Mauro".

– Mauro? Quem é esse tal de Mauro? O que ele fez de tão grave pra botarem fogo nele? – perguntou Agente E, enquanto Mano-Loco entrava em contato com a base dos Natos e relatava os últimos acontecimentos.

Luzia saudou-os com uma voz sonolenta. A diferença dos fusos horários aumentava cada vez mais.

– Muito bem, Natos. Mauro é uma forma de Camões referir-se aos mouros.

– Então, ele quis dizer fogo no coração mouro! – deduziu Mano-Loco.

– E onde fica o coração mouro? – perguntou Helô.

– Em Meca, a cidade sagrada dos muçulmanos! – explicou Luzia. – E faz sentido, pois o descendente de Abraão, a quem a estrofe se refere, é Maomé, o profeta da religião islâmica. Eram os grandes inimigos dos portugueses naquela época.

– Mas Meca fica na Arábia Saudita, longe daqui, e lá eles não falam a nossa língua! – disse Mestre Alceu.

– Bem, Natos, os portugueses conquistaram alguns portos da Arábia. Ormuz foi um deles. – disse Luzia.

– Acho que não é isso. Ele falou em ilha, pessoal. Precisamos agora descobrir alguma ilha cujo povo seja muçulmano e que fale a língua portuguesa – disse Mano-Loco.

– Mas será que existe? – perguntou Helô, surpresa.

– Sugiro checarmos o mapa dos tempos do poeta. A estrofe diz que foi em uma ilha que os mouros chegaram e encontraram nativos, segundo foi dito, sem religião.

– Talvez Camões queira dizer "na direção de Meca". Os muçulmanos, em qualquer parte do mundo, ajoelham-se em direção a Meca para fazer suas orações – ponderou Mestre Alceu.

– O poeta falou em fogo – lembrou Agente E. – E fogo para mim é disparo de canhão.

– Boa, jovem Nato!– exclamou Mestre Alceu. – Camões deve ter mandado esconder a mensagem em um castelo ou em uma fortaleza cheia de canhões.

– E canhões apontados em direção a Meca – completou Mano-Loco. – Está ficando quente!

– Bem, vejamos. Uma ilha que Camões conhecia bem. Talvez seja a ilha de... Moçambique! – concluiu Luzia. – Os portugueses a conquistaram e a transformaram em importante escala para as naus que iam a caminho das Índias.

– Mas, afinal, Moçambique é um país ou uma ilha? – perguntou Helô.

– Hoje é um grande país, cheio de riquezas – Luzia respondeu em seguida. – Mas há também a Ilha de Moçambique, que deu o nome ao país e que foi a antiga capital, que hoje é Maputo.

– Então Moçambique é um país muçulmano! – concluiu Helô.

– Não, mas na Ilha de Moçambique, como em muitas províncias ao norte, encontramos muitos seguidores do islamismo.

– Acho que estamos no caminho certo! – encorajou Mestre Alceu.

– Então deve existir alguma fortaleza dos tempos de Camões nessa ilha, não é? – perguntou Mano-Loco.

– Sim, a fortaleza de São Sebastião, bem ao norte da ilha. Os portugueses tiveram de construí-la para se defender das ameaças de outros povos europeus.

– Essa fortaleza tem canhões? – perguntou Agente E.

– Evidente que sim! – confirmou Luzia.

– Bingo! – comemorou Mano-Loco. – O poeta escondeu a mensagem na fortaleza de São Sebastião, em canhões apontados para o norte, em direção a Meca, o coração dos mouros.

– Muito bem, jovens! Decodificamos mais uma mensagem de Camões! – comemorou Mestre Alceu.

– Dá-lhe, Natos! Moçambique, lá vamos nós! – gritaram juntos, abraçados.

Mais alegria ainda estava por vir.

– Atenção, Ícaro, acabamos de receber uma notícia-bomba sobre os nossos rivais! – interrompeu Luzia, eufórica.

Os tripulantes voaram para cima da caixa de som de onde vinham as palavras da garota.

– Adivinhem o que aconteceu com o jato do Jack Stress?

– De novo? Agora ele virou sapo! – ironizou Mestre Alceu.

– Pior. Ele e os Stress Boys estavam a caminho de Moçambique e se deram mal: o jato deles foi atingido por uma tempestade de gafanhotos!

– Não me diga, Luzia! E, quando acordou, seu cantor predileto estava cantando só para você! – zombou Mano-Loco.

Mestre Alceu interrompeu as risadas que se seguiram e explicou:

– Isso é perfeitamente possível, jovens. Acontece muito na África. Os gafanhotos multiplicam-se rapidamente, formando nuvens com quilômetros de extensão, e vão devastando todas as plantações que encontram pelo caminho.

– E eles comem até avião? – perguntou Agente E, em tom de surpresa.

– Não, não é isso. Os gafanhotos devoram plantações inteiras e levam cidades à fome e à miséria. O que certamente aconteceu com Jack Stress é que muitos gafanhotos, provavelmente milhares, devem ter entupido as turbinas do Adamastor.

– Exatamente! Segundo o noticiário de Moçambique, o avião dirigia-se para o norte do país, mas, ao ser atingido pelos gafanhotos, o Adamastor teve de fazer um pouso de emergência no Parque de Niassa. Ninguém se machucou, mas eles estão impossibilitados de retomar a viagem por algum tempo. Um socorro já foi acionado e está a caminho.

– Jack Stress foi mais rápido do que imaginávamos – comentou Mestre Alceu. – Ele e sua equipe certamente já encontraram e decifraram a mensagem para a próxima etapa. No entanto, a natureza, mais uma vez, nos deu uma mão.

Decolaram, cheios de entusiasmo, do aeroporto de Luanda e,

quatro horas mais tarde, sobrevoavam Moçambique. Plantações de chá transformavam as montanhas daquele país em um mar de veludo, evocando um clima de paz. Mestre Alceu baixou a altitude para dois mil pés, para que pudessem apreciar o Parque de Niassa, uma das belas paisagens do sexto país de língua portuguesa que visitavam.

– Olhem lá embaixo! – apontou Helô. – Um avião!

Próximo a uma árvore, encontrava-se um jato avariado, pendendo para um lado. Estava cercado de animais selvagens. Era o Adamastor, a fera a jato de Jack Stress, abatido por um esquadrão de gafanhotos e, agora, prisioneiro de leões. A natureza impunha uma dura lição.

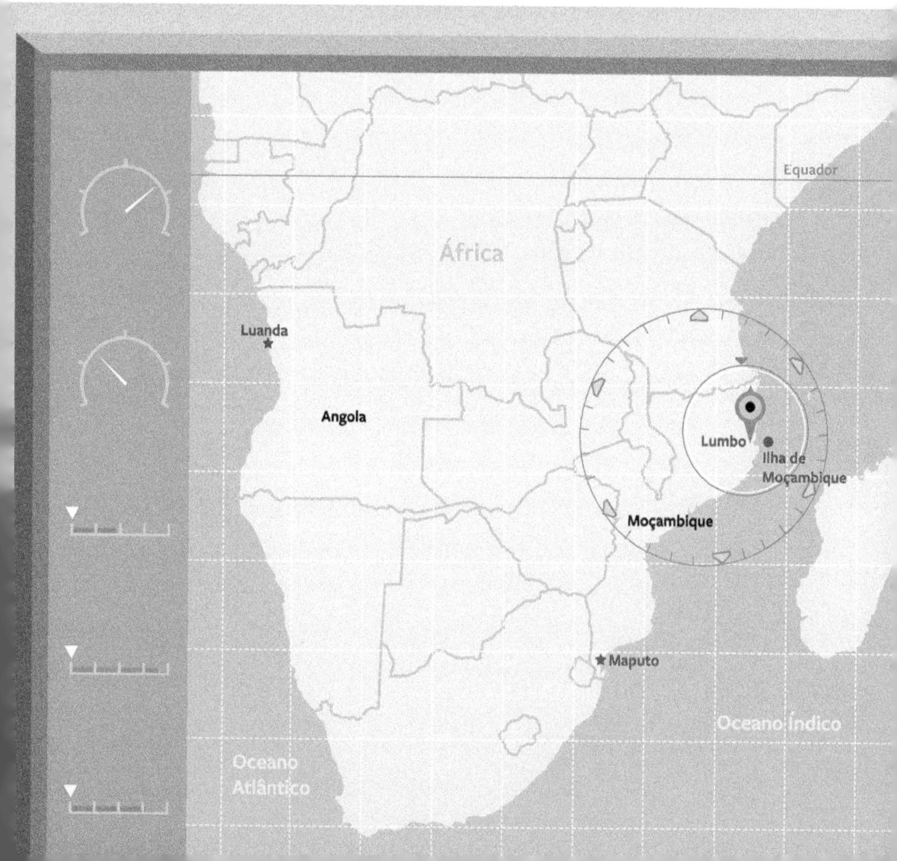

Mistério e trapaças na ilha 18

Depois de dar um voo rasante bem acima do jato dos rivais, Ícaro tomou o rumo leste.

– Adeus, Jack Stress! – gritaram em coro.

Pouco mais tarde, a Ilha de Moçambique despontou no horizonte, ao lado da cidade de Lumbo, onde ficava o campo de pouso da região.

Eram duas horas da tarde quando Ícaro tocou o território moçambicano. Foram recebidos pelo próprio operador de voo. Alugaram três bicicletas e, enquanto Mestre Alceu fazia a manutenção do avião, tomaram o rumo da estreita ponte que ligava a ilha ao continente.

Helô ficou arrepiada ao ver a cidade ao longe, onde se destacava um minarete alfinetando o céu, como se estivesse de sentinela, pronto para estourar qualquer nuvem que por ali aparecesse e ameaçasse manchar o fundo azul daquele lindo cartão-postal.

– Que gracinha! Parece que estamos na terra das mil e uma noites! – disse a menina, encantada com aquele visual que a remetia aos contos árabes.

O grupo atravessou a ponte morosamente. Cada vez que vinha algum carro no sentido contrário, quem estava mais próximo dos recuos laterais era obrigado a sair da via, pois só havia espaço para passar um veículo por vez.

– Essa ilha já foi palco de grandes acontecimentos da história da humanidade. Vasco da Gama esteve por aqui antes de chegar à Índia – explicou Helô.

Quando concluíram a travessia da ponte, um menino alto e esguio, trajando camisa branca, calça escura e uma vistosa *kofia*, o gorro muçulmano, parou de pedalar sua velha bicicleta e se deteve diante do grupo.

– Vocês são de que *sítio*? – perguntou, curioso.

– De dois continentes – começou a falar Mano-Loco.

– Na realidade, nossa pátria é a língua portuguesa – interrompeu Helô, inspirada, lembrando os versos do poeta português Fernando Pessoa.

Em seguida, a garota apresentou seus companheiros.

– Então somos compatriotas?

– Se você é daqui, sim! – disse Agente E.

– Sim, amigos, somos da mesma pátria. Meu nome é Pedro. Nasci e moro aqui na ilha – identificou-se o moçambicano, eufórico, e então perguntou: – Posso ajudá-los?

Os garotos responderam afirmativamente e, à medida que contavam sobre a missão ao redor do mundo, o moçambicano arregalava mais os olhos.

– Muito *giro*, legal! Se precisam ir até a fortaleza de São Sebastião, sigam-me, é nesta direção! – disse, entusiasmado, apontando para o norte.

Os garotos não perderam a oportunidade e seguiram pedalando e conversando alegremente pelas ruas da ilha. O vozerio da criançada, brincando de pés no chão, as roupas coloridas das mulheres makuas e os postes de iluminação dos tempos coloniais faziam com que o passado e o presente se fundissem.

– Isso aqui parece um cenário de filmagens – observou Mano-Loco, apreciando todos os detalhes com seu binóculo.

Ao notar que o moçambicano olhava com curiosidade para o binóculo, Mano-Loco parou por um instante, tirou-o do pescoço e, com sua mão esquerda, ofereceu-o ao novo colega. Pedro torceu o nariz e disse:

– Cuidado! Nunca dê nada a um muçulmano usando sua mão esquerda! É a mão que usamos para fazer *istinga*.

– *Istinga*?

– Isso mesmo. É como nós, muçulmanos, devemos nos limpar, após fazermos nossas necessidades. Para isso, só podemos usar a mão esquerda. Percebes?

Mano-Loco pediu desculpas e, então, deu ao menino o binóculo da forma considerada correta pelas tradições dos muçulmanos: com a mão direita.

Depois de uma breve pausa, seguiram por ruas largas e arborizadas, por vezes escapando do rigor do sol sob a sombra de uma casuarina e, finalmente, chegaram à fortaleza de São Sebastião. À medida que se aproximavam, puderam ver uma construção de pedras com um portão preto, logo abaixo de duas pequenas guaritas vazias, sem nada, sem ninguém. Até a brisa temia entrar ali e morrer de solidão. De repente, porém, um vigia surgiu no portão de entrada...

– A fortaleza está fechada! – informou o vigia, olhando ameaçadoramente para os meninos, com um revólver a tiracolo.

– Estranho – comentou Pedro, tremendo. – Nunca vi guardas por aqui. E isso não é jeito de tratar um visitante!

– Precisamos entrar, estamos fazendo uma "pesquisa" – argumentou Agente E.

– A fortaleza está em reformas. Ninguém pode entrar. São ordens superiores.

– Mas, seu guardinha, nós precisamos... – insistiu Helô.

– Chega! S.P.T.! – gritou o guarda.

"S.P.T. Acho que já ouvi essa expressão em algum lugar" – pensou Mano-Loco, que, desde que chegara, estava achando aquele soldado meio suspeito. "S.P.T., S.P.T. Isso parece expressão daquela língua maluca do Jack Stress."

A alegria daquele passeio, subitamente, começou a se transformar em um pesadelo. Até então, tudo correra maravilhosamente bem em Moçambique.

– Se quiserem apreciar a fortaleza, usem binóculos – disse o guarda, procurando encerrar a discussão.

Agente E e Helô olharam para Mano-Loco e para sua mochila. O garoto sentiu-se envaidecido. Era hora de usar novamente sua arma secreta. Ele havia feito novas doses do gás da doideira no banheiro do avião, aproveitando todo o repolho estragado que tinha, e estava doido para usar novamente seu poderoso *spray*. No entanto, ao colocar a mão dentro da mochila, foi tateando, tateando e nada de maleta de emergência e de aerossol. "Deixei a maleta no avião. Ou alguém a tirou da mochila" – pensou.

Mano-Loco olhou para os amigos com aquela cara de quem se deu mal, apontando o polegar para baixo. Eles perceberam que, daquela vez, por algum motivo, não haveria espetáculo "locotécnico".

O garoto decidiu pegar seu binóculo e sair de mansinho, enquanto pensava em um plano B. Tentou enxergar alguma coisa nos canhões apontados para o mar, porém não conseguiu ver nada de importante. Refletiu por alguns instantes, enquanto procurava uma forma de driblar a "segurança". "Esse cara está apenas querendo nos atrapalhar. Vou aprontar uma pra cima dele" – pensou. Enquanto isso, Agente E, Helô e Pedro tentavam convencer o guarda, cada vez mais nervoso.

Um pouco afastado deles, Mano-Loco, todo sorridente, procurava chamar a atenção das poucas pessoas que passavam pelo local, convidando-as para que vissem "algo estranho" andando pelas muralhas da fortaleza.

– Vejam, um extraterrestre! Um extraterrestre! – gritava repetidamente.

– Não consigo ver nada – resmungou um indiano, de cara amarrada, usando turbante, que passava por ali.

– Mas está lá em cima – insistiu Mano-Loco. – O guarda é que me contou. Disse que tem um E.T. rondando a fortaleza há vários dias.

Os Natos e Pedro continuavam a discutir no portão da frente, porém perceberam que seu amigo estava aprontando alguma. Ele oferecera o binóculo ao indiano, que tinha ficado curioso, dizendo que era "cortesia do guarda", sem que este notasse o que estava acontecendo.

O visitante apontou o binóculo na direção indicada pelo menino, porém não viu nenhum extraterrestre. Naquele instante, chegou um ônibus escolar em excursão e parou bem em frente à fortaleza, despejando um bando de estudantes prontos para "tomá-la de assalto". Mano-Loco aproveitou para envolver o grupo na história do E.T. e o entusiasmo foi tanto que ele foi obrigado a organizar uma fila.

O vozerio e a impaciência das crianças foram aumentando e a confusão chegou ao seu clímax quando viram o indiano e começaram a zombar dele.

– Olhem, é o extraterrestre! Isso mesmo, esse cara é que é o E.T.! Que cara de *parvo*! – disseram, às gargalhadas, apontando para o homem, que as olhava com cara de sonso.

Preocupado por ser alvo de tantas brincadeiras, o indiano foi olhar-se no espelho retrovisor do ônibus dos estudantes e logo entendeu o que acontecera: o binóculo tinha uma camada de tinta justamente nos aros de visualização e seu rosto estava marcado por dois enormes círculos pretos, o que o transformava em uma figura engraçada. Ou melhor, em um "extraterrestre", como gritava a criançada, zombando dele.

– De quem foi essa gracinha? – perguntou, agora mais engraçado ainda, com o rosto vermelho de raiva.

Mano-Loco assobiou e, quando o indiano olhou em sua direção, com os olhos fuzilando ódio, balançou a cabeça e apontou para o guarda.

– Ah, é! Vai levar uma bela *tareia*! – esbravejou, partindo para cima do falso vigia, que levou tanto safanão que logo *virou barata*. Outros transeuntes tentaram, em meio à gritaria da molecada, acalmar, em vão, o enfurecido "E.T.".

– Isso é que é um verdadeiro *pé de vento*! – disse Pedro.

– *Pé de vento*? O que é isso? – perguntou Mano-Loco.

– Aqui em Moçambique significa confusão.

– Ah, é! – comentou Mano-Loco, surpreso, lembrando-se da professora Felícia e de sua cada vez menos estranha declaração.

Aproveitando o *pé de vento* que se armou naquele lugar, o grupo entrou na fortaleza e se dividiu para examinar os canhões. Enferrujados e inofensivos, sequer assustavam os pequenos *dhows* – os tradicionais barquinhos árabes, de velas brancas e triangulares, que navegavam fazendo graça ao bel-prazer do vento – que por ali passavam.

– Qual é o canhão que aponta para Meca? – perguntou Helô, explicando a charada para o amigo muçulmano.

Pedro olhou para o mar e apontou a direção norte:

– Meca fica naquela direção!

Naquele instante, um jato passou voando a baixa altitude, preparando-se para aterrissar. Era o Adamastor! Jack Stress voltava à disputa, com carga total.

– Droga, aquele *aldrabão* conseguiu arrumar o avião e já está vindo pra cá – lamentou Mano-Loco.

O grupo examinou minuciosamente o canhão indicado por Pedro por um bom tempo, porém ninguém conseguiu encontrar nada. Esquadrinharam o lado de dentro. Nadinha. Olharam com igual cuidado o lado de fora. Também não havia nada.

– Será que erramos a pista? – perguntou Agente E, aflito.

Quando ia responder, o moçambicano notou algo estranho.

– Ei, espere aí. Está faltando um canhão! Agora eu me lembro. Havia dois canhões aqui, voltados para o norte!

Ao olharem para o local que Pedro apontava, puderam ver claramente que ali restara um suporte de madeira vazio, coberto por alguns arbustos. Ao lado, uma pequena capela era a única testemunha do que teria acontecido por ali.

– Isso foi ajeitado há pouco! – gritou Mano-Loco.

– Essa não! Jack Stress de novo! – disse Helô, intuitivamente.

– É incrível! Será que ele mandou roubarem um canhão? – esbravejou Agente E.

– Bem, pessoal, está na cara. Esse falso guarda estava a serviço do Jack Stress. Lembrem-se de que ele falou S.P.T. Para mim está claro. O canhão deve ter sido...

Vrummm! Subitamente ouviram o barulho de um motor sendo ligado. Notaram, entre as saliências da muralha, um velho caminhão saindo sorrateiramente por uma das laterais da fortaleza, bem devagarinho, como se estivesse fugindo com uma carga suspeita. E estava! Na sua carroceria, rolando de um lado para o outro, havia...

– Ei, vejam lá na rua! – gritou Mano-Loco. – O caminhão está levando um canhão! Vocês têm razão. Fomos mais uma vez enganados! Esse Jack Stress está cada vez mais abusado!

– E podem estar certos de que ele está nos espionando! – disse Helô, com a voz embargada.

Mano-Loco olhou para Agente E, desconfiado. Agente E percebeu e sentiu-se incomodado. Quem teria tirado a maleta de emergência da sua mochila? Quem estaria passando informações para Jack Stress? A temperatura entre os Natos subiu, porém preferiram ficar em silêncio. Teriam muito o que conversar no avião.

Na frente da fortaleza, o *pé de vento* continuava. Os Natos e Pedro pegaram suas bicicletas e seguiram rua abaixo atrás do caminhão. Entretanto, por mais que pedalassem, foram ficando para trás. Por sorte, ao chegarem à ponte, do outro lado da ilha, um grande congestionamento interrompeu o tráfego.

– Um *machimbombo* está avariado! – disse Pedro, apontando para um ônibus que enguiçara no meio da ponte, entupindo-a. Buzinas, gritos... Uma grande confusão armou-se. Ninguém conseguia entrar nem sair da ilha.

No meio do congestionamento, notaram a presença do caminhão que levava o canhão roubado. E sobre sua carroceria a prova maior do crime: Jack Stress e seus Stress Boys procuravam algo. Estavam em cima do...

– Canhão! Eles estão em cima do canhão! Vamos chamar a polícia! – gritaram quase ao mesmo tempo.

Antes que pudessem fazer qualquer coisa, viram o grupo dos rivais fugindo por uma rua.

– Devem ter encontrado a mensagem – disse Mano-Loco, desanimado.

Um homem barrigudo, que dirigia o caminhão, saiu do veículo e chamou um trio de tipos esquisitos para ajudá-lo a carregar o canhão até o ancoradouro. Em um ato de desespero, Mano-Loco sacou sua câmera digital, colocou uma lente teleobjetiva e bateu tantas fotos quantas pôde do canhão, antes que este, para a surpresa de todos, fosse atirado ao mar.

Depois disso, os Natos e Pedro tentaram encontrar Jack Stress e seus Stress Boys nas ruas vizinhas, porém a busca foi inútil. Eles haviam sumido. Pediram ajuda a dois policiais, mas eles estavam mais preocupados com o problema do trânsito e não lhes deram atenção.

– O carro que os trouxe deve estar preso no congestionamento – disse Agente E.

– Eles vão ficar retidos na ilha até escurecer – consolou-se Mano-Loco. – Do jeito que o Jack Stress é, não vai querer ir a pé nem nos *dhows*.

– E como também não há lanchas por aqui, eles vão *desconseguir de*, não vão conseguir viajar de avião ainda hoje, porque decolagens noturnas não são autorizadas nesse aeroporto – observou Pedro.

– Ótimo, pelo menos o Jack Stress ficará preso em Moçambique até amanhã – afirmou Helô, procurando recuperar o ânimo do grupo.

– É, o *tacudo* vai ter de esperar – completou Pedro.

– Opa! A professora Felícia naquele dia também disse *tacudo*. Mas o que é isso? – perguntou Mano-Loco.

– Homem rico, poderoso – respondeu o garoto moçambicano.

"Hum... Temos uma nova lição de casa quando voltarmos para o Ícaro" – pensou.

Os Natos decidiram então retornar para o avião. Despediram-se de Pedro, que ficou de comunicar à polícia sobre o canhão jogado no mar, pegaram carona em um *dhow* e rumaram para o continente. Já era noite.

A bordo do Ícaro, enquanto Agente E e Helô relatavam com mais detalhes os últimos acontecimentos para Mestre Alceu, Mano-Loco descarregou no computador as fotos que havia tirado com sua câmera digital.

– Droga! O canhão está muito velho, todo enferrujado.

No entanto, uma das fotos chamou a atenção de Agente E:

– Espera um pouco! Tem alguma coisa aqui – disse Helô. – Será mais um código do poeta?

– Há um número 1, acho. Depois, meio torto, um A – disse Mano-Loco.

– Não, isso é um nove! – corrigiu Agente E.

– Em seguida tem um zero e um seis ao contrário – completou Mestre Alceu.

– 1906. Deve haver alguma mensagem nesta data! – disse Helô.

– Ou será uma referência a uma batalha? – questionou Agente E.

– Que confusão, hein? Afinal, para onde será que teremos de ir agora? – perguntou Mano-Loco.

– Nossa, mas Camões não é dessa época! – observou Mestre Alceu.

Tentaram durante horas encontrar uma explicação para aquela data. Nada. Nenhum sinal em outra foto. A terra de Pedro parecia agora cenário das mil e uma noites de pesadelos. A mensagem estaria mesmo no canhão? Como Jack Stress a encontrara com tanta facilidade? Como conseguira decifrar as mensagens deixadas em código por Camões? Será que Felícia estava ajudando o rival? Ou estavam interceptando as conversas dos Natos? Tudo era muito estranho.

Atravessando o Índico

19

A noite estrelada era um convite para dormir e sonhar. Bem que os Natos tentaram. Após fazerem uma rápida refeição, colocaram colchões infláveis ao lado do avião e deitaram-se ao relento. Mano-Loco não conseguia pegar no sono. Agente E também não. Os dois estavam com aqueles acontecimentos engasgados. Alguma desconfiança entre os dois pairava no ar. Mano-Loco queria falar alguma coisa. Agente E também.

"Será que Agente E é um espião?" – pensou.

"Será que sou um espião e nem sei disso? – perguntou-se Agente E, tentando lembrar-se de tudo o que havia acontecido no seu trajeto até Fernando de Noronha.

Todavia, o portulábio, pendurado na asa do avião, balançando como o pêndulo de um relógio, quase hipnotizou os dois, que, exaustos, acabaram dormindo. Eles, estranhamente, ou por magia, tiveram o mesmo sonho. Fizeram uma viagem no tempo: estavam no século XVI, no meio de uma batalha contra os holandeses, que queriam conquistar a Ilha de Moçambique. Os Natos, junto com os soldados portugueses, haviam se refugiado na fortaleza, porém, depois de muita luta, não resistiram ao cerco dos inimigos e foram feitos prisioneiros. Levados a uma cela, ficaram presos ali. No local, havia um estranho espelho e, quando os garotos o olharam, viram o rosto de um homem que lhes parecia familiar. O homem tinha uma venda no olho direito e era bem parecido com... Camões! Sim, eles não tinham dúvida, era Camões! O poeta fez um sinal apontando para eles pelo espelho e ia...

– Vrumm! – Mano-Loco acordou sobressaltado com aquele estrondo. Era Adamastor, decolando e sumindo nos céus de Moçambique.

Os rivais haviam partido um pouco antes de o sol nascer e estavam novamente à frente da equipe dos Natos. E certamente com a já decifrada mensagem daquela etapa.

Ao se levantar, Helô notou que Mano-Loco já estava em pé...

– Sonhou com o que, seu louquinho?

– Dessa vez, tive um pesadelo com Camões.

– Acho que tive o mesmo sonho – disse Agente E. – Vi o poeta em um espelho.

Os dois, de repente, pararam de falar. Olhavam fixamente para o portulábio, que estava nas mãos do Agente E.

– Sim, você o viu no espelho e... – perguntou Helô.

– Espelho! Isso mesmo, há um espelho no portulábio! – gritou Mano-Loco, exultante. – E, se está lá, é para ser usado! Bendito portulábio! Cadê a foto com aquela data?

Helô ligou o computador e abriu o arquivo com a foto, destacando-a na tela. Agente E aproximou o espelho do portulábio e o encostou em uma saliência ao lado da imagem. Como em um passe de mágica, a imagem, invertida, foi lida por todos:

– G-O-A! Goa! – gritaram juntos.

– Mas o que é? – perguntou Mano-Loco.

– É um pedacinho da Índia que pertenceu a Portugal e onde Camões escreveu boa parte d'*Os lusíadas*! Meu avô morou lá até a saída dos portugueses – explicou a menina.

Mestre Alceu olhou a foto mais de perto e disse:

– Seguramente este risco e esta cruz dos templários significam algo como a primeira igreja.

– Bom palpite! Helô, qual foi a primeira igreja construída pelos portugueses quando conquistaram Goa? – perguntou Agente E.

– A Capela de Santa Catarina! Tenho um cartão-postal da sua fachada.

– E onde fica a capela? – indagou Agente E..

– Na cidade velha, na Velha Goa, próxima ao Rio Mandovi.

– Então, tudo nos indica que a próxima mensagem esteja nessa capela em Goa! – concluiu o menino – Matamos mais uma mensagem!

– É isso aí! E ela é tão pequenina que não vai ser difícil encontrar a próxima pista – acrescentou Helô.

– Sugiro que pousemos no próprio Rio Mandovi – raciocinou Agente E.

– Acho que é possível, pois ele é bem largo e calmo – explicou a garota.

– Goa! Índia! Estamos a caminho! – gritaram em coro.

Mano-Loco aproveitou o momento para tirar a limpo a desconfiança em relação ao novo integrante dos Natos, de quem levantara algumas suspeitas.

– Agente E, você viu onde estava minha maleta com o equipamento de emergência?

– É verdade, você não a levou para a Ilha de Moçambique, né, gatinho? – disse Helô.

– É por isso que estou perguntando, já que eu sempre deixo meu equipamento na mochila – gritou o garoto, irado.

Mestre Alceu colocou as mãos na cabeça e tratou de acalmá--los:

– Não briguem. A culpa foi minha. Em Moçambique, ao chegarmos, enquanto vocês alugavam as bicicletas, eu fiquei curioso e quis examinar o gás da doideira. Não entendi por que ele não tinha funcionado e acabei deixando a maleta na despensa.

– Ah, então foi isso! Bem, deu para perceber que o prazo de validade vence logo. Por isso eu já havia feito uma última dose no minilaboratório que improvisei no banheiro – explicou Mano-Loco.

– Jovem, minhas desculpas. Não devemos mexer nas coisas dos outros sem permissão.

– Está bem, Mestre, estamos juntos nessa missão, não é?! E felizmente foi isso o que aconteceu. – disse Mano-Loco, aliviado, após abraçar Agente E.

– É, mas ficou claro que o "poder de ataque" do gás não dura muito – completou Mestre Alceu, meio sem graça.

– E tem um problema novo: o repolho, a matéria-prima básica, acabou de vez! Precisamos comprar repolho em Goa. Para fazer Jack Stress pirar ainda mais! – disse Mano-Loco, rindo.

Todos riram também, com gosto. A ansiedade era tanta que não conseguiram dormir mais. Às seis da manhã, quando o sol começou a raiar, o hidroavião ganhou os céus e partiu em direção à sétima escala, sobrevoando o Oceano Índico. Estavam adiantados em relação ao prazo da Volta ao Mundo. Em quatro dias, haviam passado com sucesso por seis terras em que se falava português. O noticiário destacava que Jack Stress voltara à liderança, porém a diferença que os separava não era grande.

A viagem até Goa duraria sete horas, tempo para descansarem, revezando-se, e fazerem um balanço da missão até aquele momento. A teoria de Jack Stress, ao julgar a língua portuguesa inútil, também sofrera vários tropeços, pois, apesar de suas trapaças, não conseguira livrar-se dos Natos, que continuavam no seu encalço. A pergunta que permanecia sem resposta era como ele conseguia encontrar e decifrar as mensagens com o seu pobre stressês.

Mano-Loco sugeriu que estudassem mais uma vez a declaração feita por Felícia na televisão.

– Descobrimos, em Moçambique, que *pé de vento* significa confusão e *tacudo*, homem rico, poderoso.

Com sua letra, que mais parecia um bordado, Helô anotou, debaixo das palavras da mestra timorense, os significados das palavras encontradas durante a viagem pelos países onde se falava a língua portuguesa e leu novamente o comunicado de Felícia:

"Ontem, estava tomando café da manhã quando perdi o juízo. Acordei prisioneira nas mãos de dois capangas. No dia da grande confusão, quero bazar, porque o homem poderoso está enganando. Baía com um barco encarnado que voa, mas é um banheiro que vai me me salvar."

– O homem poderoso pode ser Jack Stress! Estou cada vez mais desconfiado de que Felícia quis transmitir alguma coisa para nós! – disse Mano-Loco. – O que não consigo entender é essa história de banheiro e de bazar. Mas acho que estamos prestes a decifrar algo muito maior.

– A professora pode ter passado uma mensagem em código, como fez o Camões. Vamos ficar mais atentos a isso! – concluiu Mestre Alceu.

A cada dia, o mistério aumentava. Muitas surpresas pareciam estar à espera dos Natos. A tripulação trocou informações com a base e procurou descansar nas horas seguintes. Quando estavam próximos da Índia, Mestre Alceu leu uma notícia assustadora.

– Droga, terroristas! – gritou, acordando seus companheiros, e apontou para a manchete no monitor:

JACK STRESS CHEGA À ÍNDIA MINUTOS ANTES DE O PAÍS FECHAR O ESPAÇO AÉREO DEVIDO A AMEAÇAS DE ATAQUE TERRORISTA.

– Se entrarmos no espaço aéreo indiano, seremos abatidos!

– E nossos adversários já chegaram lá! – comentou Agente E.

– E dessa vez não parece ser sujeira do Jack Stress – disse Mano-Loco.

E não parecia mesmo. Mal o garoto terminou de falar, um ronco forte, do lado esquerdo do avião, chamou a atenção de todos os tripulantes: um caça da Força Aérea da Índia voava ao lado do Ícaro. O piloto sinalizava ameaçadoramente com sua mão esquerda para que descessem!

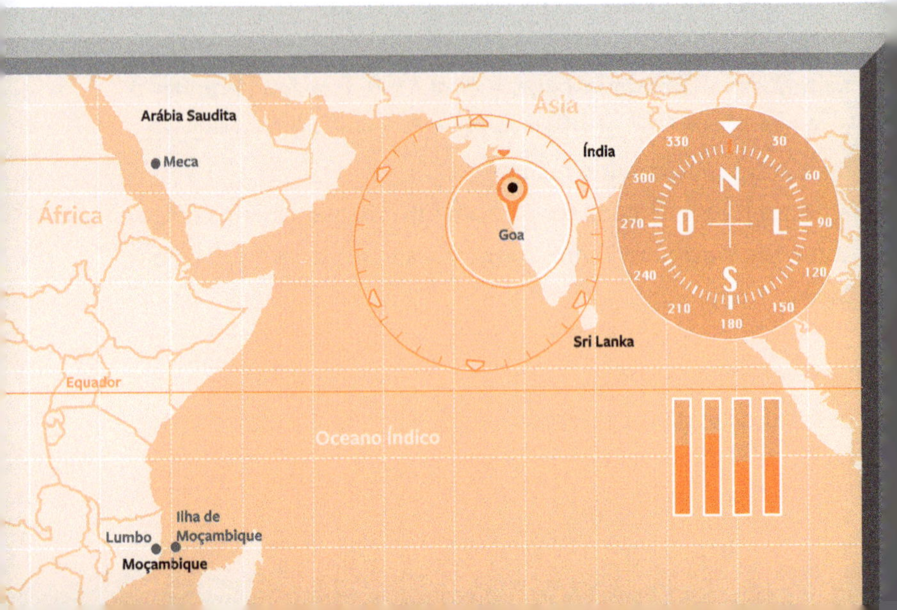

Descobertas na Roma do Oriente

20

– É o que queremos, seu *parvo*! – berrou Mano-Loco.

– Vamos fingir que desceremos no aeroporto internacional de Dabolim – decidiu Mestre Alceu, enquanto preparava os procedimentos de pouso.

No solo, à frente dos Natos, a natureza dava um espetáculo divertido. Coqueiros balançavam ao vento e se esticavam, como que ansiosos para se soltar da areia e dar um mergulho no mar.

Quando o avião começou sua descida em direção à pista do aeroporto, localizada à beira-mar, o caça afastou-se, sumindo em poucos segundos por entre as nuvens. Mestre Alceu arremeteu, sobrevoou o estuário do Rio Zuari e seguiu à direita. Os flutuadores foram baixados e o trem de pouso, recolhido. Instantes depois, o quinteto pôde ver o Rio Mandovi, que banhava a Velha Goa.

– Vejam, a catedral! – gritou Helô. – A capela de Santa Catarina fica bem ao lado!

Próximo a uma estação de balsas, Ícaro tocou tranquilamente as águas do rio, deu meia-volta e rumou até o cais. Estavam em plena Índia, na pequena Goa, que, devido às suas dezenas de igrejas, era conhecida como a Roma do Oriente.

– Bem, jovens, enquanto eu distraio o chefe da estação, vocês procuram a nova mensagem – sugeriu Mestre Alceu, prontificando-se a ficar tomando conta do Ícaro.

– E veja se encontra repolho no mercado que tem aqui do lado – lembrou Mano-Loco.

Mestre Alceu não se conteve:

– Olha onde eu fui parar! Estudei Letras e Ecologia nas melhores faculdades, fiz especialização na Universidade de Coimbra, participei do desenvolvimento do avião solar, dirijo uma das maiores redes de ensino do país e, de repente, fico à mercê de um maluco e um punhado de repolho, e ainda por cima estragado, pra empestar o ar com um fedor insuportável que leva à loucura. Eu não posso acreditar!

Mano-Loco não resistiu à gozação e sapecou alguns versos de "bate-pronto" no Mestre brincalhão:

– Minhas amigas e meus amigos, fiquem de olho
que o Mestre é um grande trambolho,
mas um dia achou que era um galã...
Graças ao gás do repolho!

Todos riram e Mestre Alceu teve de se conter para não dar a tréplica. Não podiam perder muito tempo. Disfarçou o riso e procurou apressá-los:

– São cinco horas da tarde. Temos de encontrar a mensagem logo, antes que algum policial queira saber o que estamos fazendo por aqui.

Partiram rumo à Velha Goa, enquanto Mestre Alceu conversava com comerciantes portugueses. O local estava apinhado de gente e de vacas, que caminhavam pela rua sem serem molestadas. Elas eram animais sagrados para os hindus. Indianos, com roupas coloridas, davam a Goa uma atmosfera cheia de vida. Vendedores ambulantes ofereciam tudo, de roupas a frutas, de brinquedos a móveis. Após alguns metros, saindo daquela balbúrdia, viram uma placa com palavras escritas em bom português: Rua dos Leilões. Uma menina que passava, ao ouvir a língua portuguesa, saudou o grupo:

– Salve! Brasileiros na Velha Goa. Bem-vindos!

Era uma bela indiana chamada Maria. Sua pele mestiça e sua expressão acolhedora eram realçadas pelo sari laranja que trajava, delicadamente bordado com linhas douradas.

– Boa tarde, moça, ou melhor, rapariga! Entre nós há sangue português também – corrigiu Mano-Loco, apontando para Helô.

– Mas o que fazem aqui, neste lugar tão longe das suas terras? – perguntou Maria, curiosa.

Mano-Loco apresentou Agente E e, em seguida, narrou a epopeia dos Natos ao redor do mundo.

– *Giro*, legal! Muito *giro*! – disse a menina, empolgada.

– Ainda se fala português aqui em Goa? – inquiriu Helô.

– Sim, não são poucas as pessoas que falam ou que desejam aprendê-lo.

– Maria, nós precisamos encontrar uma mensagem que está na Capela de Santa Catarina – disse Agente E.

– A capela está em um *sítio* muito próximo daqui. Passando o Arco dos Vice-Reis, logo ali na frente, é só virar à direita – explicou Maria. – Eu terei imenso prazer em ir junto.

Os Natos, guiados pela goesa, embrenharam-se por um caminho margeado por arbustos e palmeiras. Passaram debaixo do Arco dos Vice-Reis, uma pequena construção de blocos de laterita com granito verde que não havia perdido o encanto com o passar do tempo.

A Capela de Santa Catarina mostrava sinais de que fora restaurada. Ao avistarem a parte frontal da construção, com sua fachada renascentista, notaram, entre as duas torres, a presença de pessoas que não tinham nada de turistas e muito menos de fiéis.

– Jack Stress e os Stress Boys! – gritou Mano-Loco.

– Psiu! – Vamos ficar atrás daquelas árvores e escutar o que eles estão dizendo – sugeriu Helô.

Os jovens esconderam-se atrás de alguns coqueiros e aguçaram seus ouvidos, porém só puderam entender o final da conversa:

– Acho que vamos para o sul, OK?! – gritou Jack Stress, que saíra apressado da capela e caminhava pelo *passeio*.

Os inimigos carregavam uma folha de papel e, estranhamente, ficavam olhando para ela, sem nada dizer. Jack Stress comemorou:

– Hahahaha, Natos perdidos pelo caminho! Natos *off*, fora! E teremos tempo para ir ao nosso *show*!

– *Off*! Hahahaha! – riram S1, S2 e S3.

– São uns *lambe-botas*, bajuladores – disse Helô a Maria.

O sangue subiu na cabeça de Mano-Loco, porém, antes que fizesse uma besteira, um táxi chegou e o grupo rival, felizmente, foi embora. "Que lugar para o sul seria aquele?" – pensaram. Quando o carro desapareceu no meio do trânsito, saíram detrás dos coqueiros e voaram em direção à capela.

– Se eles saíram às pressas para esse evento, é porque já encontraram a mensagem – deduziu Mano-Loco.

– É melhor andarmos depressinha – falou Helô.

– Eu vou até a cruz no telhado da igreja – disse Agente E.

– Ali pela parte lateral é mais fácil subir – disse Maria,

apontando para algumas saliências na parede da antiga construção.

Agente E, com o portulábio preso à camisa, escalou com facilidade a parede da capela e logo alcançou a cruz que existia na fachada frontal, sempre acompanhado pelos olhares atentos e apreensivos dos Natos.

– Mas por que não seguem seus rivais? – perguntou Maria.

– Como vamos ter a certeza de que eles estão indo para o lugar correto? – explicou Helô.

– E não precisamos deles. Podemos encontrar e decifrar as mensagens por nossa conta – concluiu Mano-Loco.

Enquanto o grupo conversava, Agente E examinava detalhadamente a cruz da capela. Não demorou muito para chamar seus colegas:

– Ei, pessoal! Achei algo: na cruz, há uma frase que diz: "Vêm do naufrágio triste e miserando no Ceilão. A quem o poeta chama".

– Ah, pura poesia! Pode ser mais uma mensagem deixada pelo poeta! – gritou, eufórica, Helô.

– Mas o que seria Ceilão? – questionou Mano-Loco.

– É uma ilha bem grande que fica ao sul da Índia. Hoje se chama Sri Lanka. – explicou Maria.

– Sri Lanka? Será que tem alguém que fale português naquelas paradas? – gritou Agente E.

– Talvez exista por lá alguma pequena comunidade que fale um dialeto vindo do português – respondeu Helô.

– E a frase "A quem o poeta chama"? Será que significa alguma coisa? – lembrou Agente E.

– Isso deve ser mais uma pista para sabermos exatamente onde está a próxima mensagem! – disse Helô.

– Acho que não estamos decifrando nadica de nada – protestou Mano-Loco.

– Espere aí. Deixe-me colocar a parte apodrecida do portulábio sobre estas palavras – insistiu Agente E. – mas desta vez vou usar o outro lado, sem deixar de encaixar as duas bolinhas.

Puderam, então, notar uma súbita mudança de expressão no rosto de Agente E. Primeiro ele abriu a boca de tanta surpresa, abriu mais um pouco, mais... até que sorriu e gritou:

– A mensagem mudou para "Vêm do naufrágio triste e miserando. A quem o poeta ama".

– Está cada vez mais com cara de versos d'*Os lusíadas*! Estou certa de que há uma mensagem em código aí! – comemorou Helô.

– Então nosso próximo destino não é no Ceilão! – exclamou Mano-Loco. – Quando voltarmos ao avião pediremos ajuda à base para decifrar o resto da mensagem!

– E se esse tal de Jack Stress foi mesmo para o sul, como disse, para a antiga Ilha do Ceilão, ele está indo para o lugar errado – lembrou Maria.

O grupo explodiu de alegria e todos saíram em disparada, acompanhados pela indiana. Seguiram pela rua em direção à estação das balsas. Quando estavam a poucos passos da calçada, notaram que havia um batalhão de policiais próximos ao Ícaro. Mestre Alceu estava em apuros!

– Encrenca à vista! – resmungou Mano-Loco. – E eu aqui de novo sem a minha arma secreta.

– Temos de encontrar outra saída – disse Helô.

Mano-Loco pensou, pensou e teve uma ideia:

– Maria, sei que na Índia há grandes mestres de hipnose. Você conhece algum deles aqui em Goa?

– Sim, conheço o Parish. Por sinal, é famoso no mundo inteiro. Ele mora em um templo a vinte minutos da estação de balsas.

– Esperem aqui – sugeriu Mano-Loco. – Eu vou atrás desse Parish com a Maria.

Helô torceu o nariz. Na realidade, estava com ciúme por ver o menino sair sozinho com a bela rapariga goesa.

Ao chegar à morada do mestre hindu, Mano-Loco respirou fundo, procurando aspirar o agradável aroma de incenso. Afinal, apreciar cheiros era com ele mesmo... Por ser um templo hindu, tiveram de tirar os sapatos para entrar. A cada cômodo por onde passavam, um novo aroma atiçava a imaginação do garoto. Finalmente, chegaram a uma sala espaçosa, sem nenhum móvel, onde um homem magro, usando um turbante roxo com um rubi incrustado no centro, meditava à meia-luz. Sentado sobre um pequeno tapete, tinha os olhos fechados, a coluna ereta e as pernas dobradas com os pés sobre os joelhos, na típica postura iogue. Mal se ouvia sua respiração.

– Ele pode ficar horas aí – cochichou o menino.

As suas palavras foram ouvidas pelo mestre hindu, que abriu os olhos e mediu o garoto, lentamente, da cabeça aos pés. Seus movimentos eram vagarosos e despreocupados. Como se o tempo não existisse.

– Em que posso ajudá-los? – perguntou calmamente.

Mano-Loco narrou, de forma resumida, toda a história e a luta de seu grupo contra a desonestidade de Jack Stress. O hindu apenas ouvia, sem fazer sequer um movimento. Prestou atenção no relato do garoto e, ao final, fez um comentário que mudaria o rumo dos acontecimentos:

– Esse homem, Jack Stress, já esteve aqui há seis meses. Queria entender os mistérios da hipnose. Sabia que eu a associava ao poder dos aromas, para a cura de doenças, pois, ao escutarmos o subconsciente da pessoa, conseguimos descobrir seus medos, seus segredos, enfim, tudo o que quisermos.

O brasileiro franziu o rosto sem, no entanto, conseguir dizer nada. Parish prosseguiu:

– Estou a perceber agora que ele estava mal-intencionado, por isso, vou ajudá-los.

Mano-Loco ficou interessadíssimo nas teorias de hipnose

com aromas, assunto que ele adorava. Aliás, ele também era um mestre no assunto, porém o que o garoto mais desejava, na visita àquele lugar sagrado, era conseguir o apoio do hindu. Sem perder tempo, dirigiram-se para o Rio Mandovi e, em alguns minutos, já podiam ver o Ícaro.

Parish pediu que os garotos se afastassem e seguiu sozinho em direção aos guardas, que discutiam nervosamente com Mestre Alceu. Tinha um andar sereno e pisava com tanta leveza que parecia que seus pés eram de algodão. Mestre Alceu se tocou do que estava acontecendo e saiu discretamente de cena no momento em que o mestre hindu começou a conversar com o grupo de oficiais. O novo parceiro dos Natos tocava no rosto de cada um dos oficiais, como se estivesse fazendo uma bênção. Aos poucos, os irados guardas perderam os sentidos. Suas cabeças balançavam. Tudo rodava. A estação. Os coqueiros. O avião. Um a um, os hindus caíram sobre a areia, à beira do rio.

– Podem ir, garotos, estão livres – decretou Parish.

Mano-Loco agradeceu e perguntou preocupado:

– Mas e agora? Eles guardaram sua fisionomia e, quando acordarem, vão prendê-lo!

O mestre da hipnose deu um leve sorriso e tratou de tranquilizá-lo:

– Não fique aflito. Eles não vão nem se lembrar do que aconteceu aqui. Esse é um dos segredos da minha hipnose – explicou Parish. – Mais uma coisa. Sugiro que se escondam até amanhã cedo em um santuário que existe a sudeste de Goa. Basta sobrevoar a estrada principal, que passa ao norte do Rio Zuari, e depois virar à direita. Vocês logo verão um platô, um lugar ideal para uma *aterragem*: o local é isolado e ninguém irá incomodá-los.

Ao se despedirem calorosamente dos novos amigos, Maria ainda brincou:

– Seja lá onde tenham de ir, tomem cuidado! Se caírem no oceano, não há *banheiros* – ah! quero dizer salva-vidas – para resgatá-los.

O avião subiu a toda velocidade, jorrando espuma pelo rio. Instantes depois, o Ícaro pousava ao lado de um bosque e ali seus tripulantes puderam fazer uma bela refeição. Depois, exaustos, pegaram no sono após aquele dia repleto de emoções. Deixaram para decifrar a nova mensagem no dia seguinte. Estavam certos de que o poeta deixara alguma instrução no seu incrível código.

Mano-Loco ficou acordado por mais algum tempo. Goa lhe dera muitas respostas. O garoto estava conseguindo ligar os pontos do que vira nas sete etapas por onde haviam passado. E tinha uma suspeita cada vez maior. Olhou para o portulábio, deu um suspiro e então dormiu, aliviado.

Por mares nunca dantes navegados

21

Este receberá, plácido e brando
No seu regaço os Cantos que molhados
Vêm do naufrágio triste e miserando...

Mestre Alceu, Mano-Loco e Agente E despertaram com os versos de Camões declamados por Helô.

– Natos, foi nesta estrofe que encontramos em Goa que o poeta passou uma mensagem em código para decifrarmos – disse a garota, entusiasmada.

– Mas que naufrágio é este?! Foi assim que ele morreu?! – perguntou Mano-Loco, surpreso.

– Que confusão! Então como salvaram *Os lusíadas*? – questionou Agente E.

– Não faço a mínima ideia. E não posso imaginar em que país está a nossa próxima mensagem – completou a garota.

– Jovens, acho melhor pedirmos ajuda à nossa "biblioteca humana".

Mano-Loco acessou a base dos Natos:

– Boa noite, Luzia, boa noite, pessoal. Nós já estamos no amanhã de vocês!

– Imaginem como o seu ontem está estrelado! – brincou Luzia.

– Está bem! O nosso céu está é cheio de dúvidas – disse Agente E.

– Que dúvidas?

– Queremos saber sobre um naufrágio na vida de Camões – disse Mestre Alceu.

– E sobre o amor de Camões! – completou Helô, lembrando-se da frase "A quem o poeta ama", deixada na capela.

– Ah, o naufrágio. Foi em uma viagem para Goa, quando o barco em que Camões estava afundou, mas ele não morreu neste acidente, não. Senão ele não teria ido a Portugal e recebido o tesouro que estamos procurando, não é mesmo? E ainda conseguiu salvar os manuscritos d'*Os lusíadas* – explicou. – Mas não conseguiu salvar Dinamene, a namorada que ele conheceu em Macau.

– Macau? – perguntou Agente E.

– Sim. Camões viveu em Macau, um porto colonizado pelos portugueses, em plena China.

– E ele esteve muito tempo em Macau? – insistiu Mano-Loco.

Luzia respondeu prontamente:

– Não se sabe exatamente quantos anos, porém é certo que parte d'*Os lusíadas* foi escrita lá.

– Vocês estão falando sobre o tesouro e sobre os poemas. Mas e a namorada dele, a Dinamene? Ele não ficou triste com a morte dela? – interrompeu Helô.

– Ele ficou tão abatido com a morte da companheira que fez um lindo soneto em sua homenagem, que por acaso é um dos meus prediletos. O poema termina assim: "Roga a Deus, que teus anos encurtou / Que tão cedo de cá me leve a ver-te / Quão cedo de meus olhos te levou" – falou Luzia, subindo o tom de voz, empolgadíssima.

– O verso “A quem o poeta ama” não deixa dúvidas: ele quer que passemos em algum lugar que lembre a Dinamene. E só pode ser Macau. É lá que está a mensagem! – concluiu Helô, cada vez mais emocionada.

– Nós estamos nos tornando craques em decifrar o código de Camões! Vamos a Macau! – gritaram Mestre Alceu e Mano-Loco, quase ao mesmo tempo.

Ícaro alçou voo assim que os primeiros raios de sol atingiram o sudoeste da Índia. Tomou a direção do mar a baixa altitude e, sem ter de fugir dos radares no espaço aéreo indiano já liberado, contornou o continente. Às oito da manhã, sobrevoava o mar rumo à China. Enquanto estavam a caminho do país mais populoso do mundo, procuraram decifrar em que lugar de Macau estaria a oitava e antepenúltima mensagem. Entravam no quinto dia da disputa e agora só faltavam duas escalas para chegarem ao local onde estava o tesouro. E Jack Stress? Estaria na dianteira daquela gincana global ou teria ido parar no antigo Ceilão?

Com a cabeça fervilhando de tanto pensar, Agente E conectou novamente a base e perguntou:

– Luzia, onde Camões escrevia os poemas dele?

– Em um lugar que hoje é conhecido como Gruta de Camões – respondeu a garota. – É um lugar simples, formado por três penedos, de onde o poeta podia contemplar o mar, uma das suas fontes de inspiração.

– Acho que não temos de procurar em gruta nenhuma – palpitou novamente Helô. – Se Camões quis que passássemos em Macau para homenagear Dinamene, ele deve ter deixado a mensagem em um templo ou em uma igreja, e nunca em uma caverna!

– Um templo? Não é uma má ideia, Helô – disse Mano-Loco.

– Opa, acho que estamos no caminho. Luzia, quais templos foram construídos em homenagem a deusas em Macau? – perguntou Mestre Alceu à sua companheira na base.

– Bem... Sei que o mais antigo é o templo da deusa A-Ma.

– Deusa A-Ma? – estranhou Agente E.

– Sim, é a deusa dos pescadores e deu origem ao nome de Macau. Diz a lenda que uma moça muito humilde desejava ir de barco para o continente, porém ninguém queria levá-la. Somente um pobre pescador a recebeu a bordo do seu junco. Naquele dia, uma tempestade destruiu todos os barcos, exceto aquele em que a moça estava. Ao chegar ao seu destino, ela se transformou em luz e foi para o céu, reaparecendo tempos depois como uma deusa chamada A-Ma.

– A-Ma... Ama. A quem o poeta ama! – disse Helô, eufórica. – É o verso que ele deixou em Goa!

– Isso mesmo! Parabéns, Helô! Descobrimos que a próxima mensagem está no templo da deusa A-Ma! – concluiu Mano-Loco, cada vez mais gamado na garota.

Felizes da vida, acomodaram-se confortavelmente nos seus assentos e passaram a apreciar a paisagem. O avião já sobrevoava a Malásia quando Mano-Loco inclinou-se para a direita e pôde ver o contorno do litoral: estavam chegando ao Extremo Oriente.

– Mestre, além de Macau, onde o idioma português deixou raízes por estas bandas? – perguntou Mano-Loco.

– As caravelas portuguesas cruzaram muitos mares e foram até o Japão.

– Então, fala-se português no Japão? – perguntou Agente E.

– Não, mas há palavras do japonês que têm origem no nosso idioma. Por exemplo, *bidro* significa vidro e até *arigatô*, em japonês, vem da nossa língua: "obrigado"!

Enquanto conversavam, Ícaro tomou a direção norte e seguiu em linha reta até Macau. Subitamente, o avião começou a balançar e, após uma forte sacolejada, Mano-Loco desviou seu olhar da janela para a tela do computador à sua frente, onde uma notícia em destaque os deixaria aterrorizados.

JACK STRESS CHEGA A MACAU E APROVEITA PARA LANÇAR UMA COLEÇÃO COMPLETA DE LIVROS E DICIONÁRIOS DE STRESSÊS NA BOOK SHOW DE HONG KONG. O EMPRESÁRIO PROMETE UMA GRANDE SURPRESA!

A notícia atingiu a tripulação do Ícaro em cheio. Os Natos ficaram quase sem ação:

– Nossa, mas ele não ia até o antigo Ceilão? – estranhou Helô.

– Por que mudaram de uma hora para outra? – disse Mestre Alceu.

– Mas como? – disse Mano-Loco, indignado. – Só se...

– Acho que o Jack Stress deve estar escutando ou interceptando nossas conversas com a base – deduziu Mestre Alceu.

– Ou há um espião entre nós! – gritou Mano-Loco.

– Calma, gente! De novo essa desconfiança! Deve haver outra explicação – ponderou Mestre Alceu.

Mano-Loco escutava a conversa, procurando juntar cada vez mais as peças do seu quebra-cabeça. Finalmente, refeito da notícia, ele se manifestou, conectando a base:

– Luzia, há muita gente nessa feira de livros em Hong Kong?

– É um verdadeiro tumulto, uma confusão! Milhões de pessoas visitam essa exposição e mal se consegue andar pelos corredores.

– Então o *pé de vento*, a grande confusão que a professora Felícia quis dizer na televisão, é essa feira de livros! – disse Mano-Loco, tamborilando os dedos no painel. A cabeça do garoto voava a mil por hora.

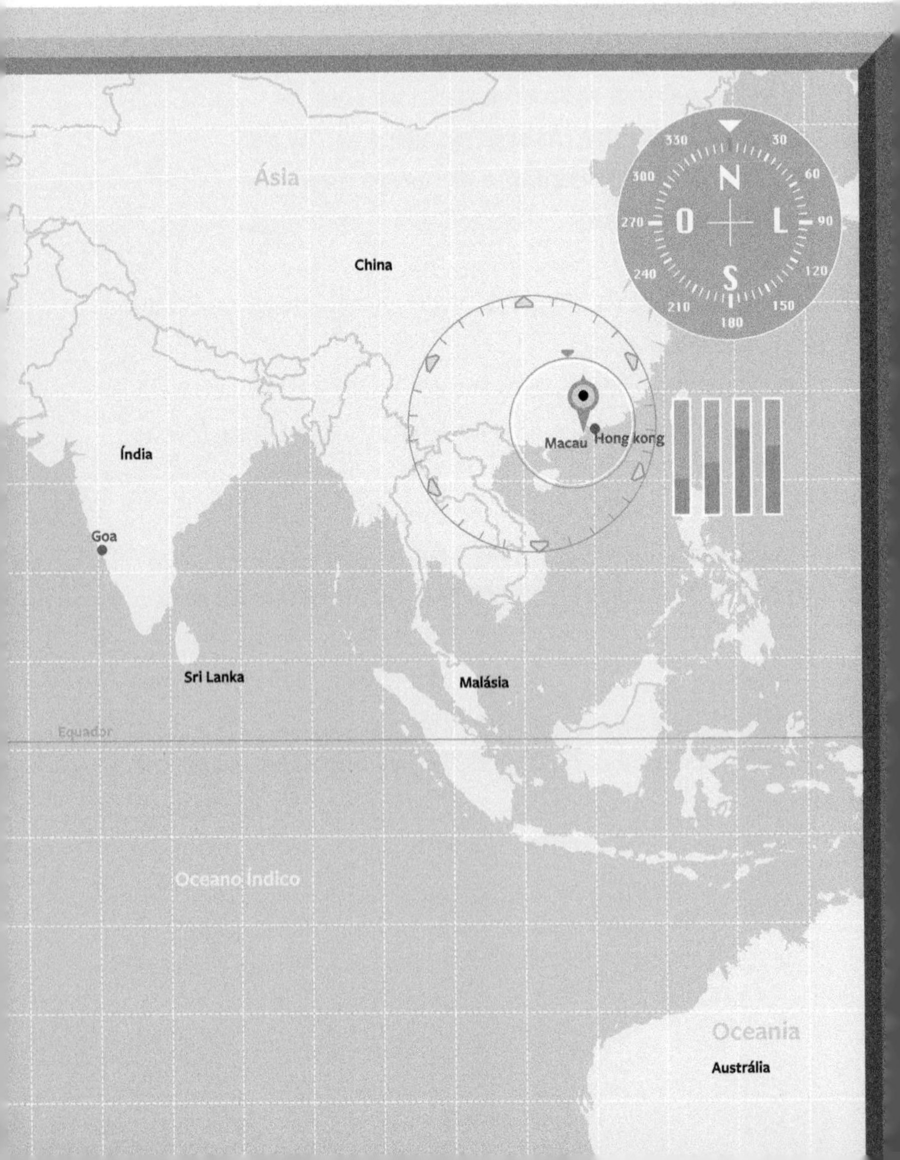

Reviravolta na cidade de A-Ma 22

No começo da tarde, a China surgiu diante do Ícaro. Os Natos estavam no outro lado do mundo, em um país gigantesco, com uma cultura fascinante e onde havia um cantinho em que o português é língua oficial: Macau.

Mano-Loco lembrou-se de sua família. A essa hora, eles estavam dormindo. A diferença de fuso horário era de 12 horas. Enquanto ali eram quatro horas da tarde, no Brasil ainda eram quatro da manhã.

O primeiro pedaço de terra que viram foi a Ilha de Coloane. Depois Taipa, onde se encontrava o aeroporto. Ícaro pousou no solo chinês sem sobressaltos. Já em frente à torre de comando, enquanto os motores do avião eram desligados, um saltitante oficial ajudou a abrir a porta do avião e, em seguida, saudou-os em português com sotaque lusitano.

– Boa tarde, jovens. Sejam bem-vindos!

Enquanto Mestre Alceu fazia a checagem do Ícaro, o grupo foi para o saguão de desembarque acompanhado pelo oficial chinês, que sugeriu que fossem até a cidade pelo mar, evitando o congestionamento causado por um acidente. Assim, depois de saírem do aeroporto, dirigiram-se a um ancoradouro no qual encontraram um junco, o tradicional barco chinês, prestes a partir.

No seu interior, três pescadores ajustavam as velas da rudimentar embarcação. Seus chapéus cônicos pareciam abajures acesos iluminando seus rostos. Inicialmente surpresos com a presença dos Natos, acabaram por acenar para que o trio pulasse dentro do barco e se acomodasse.

Em um instante, o junco navegava pelas águas do Mar da China. Passaram debaixo de duas enormes pontes que ligavam a ilha ao continente, contornaram velozmente a ponta da cidade e seguiram em direção ao Porto Interior.

Ao atracarem, os Natos desceram e agradeceram aos pescadores, que, em resposta, curvaram suas cabeças. Os três caminharam rapidamente pela Rua das Lorchas e depois pela Rua do Almirante Sérgio, seguindo as placas em português, até chegarem ao Templo de A-Ma, onde um enorme pórtico sinalizava a imponência do antigo templo chinês. À entrada, a pintura de um barco, em um rochedo, dava boas-vindas aos visitantes.

O templo em homenagem a A-Ma era ligado a vários edifícios de telhado verde, cujas pontas terminavam em alças que pareciam cabelos arrebitados. A construção central era rica em detalhes desde a entrada, onde se queimava incenso para espantar os maus espíritos. A imagem da deusa A-Ma ficava em uma sala escura, coberta por uma seda vermelha. Os garotos vasculharam a construção em todos os cantos, porém não conseguiram encontrar nenhuma pista.

O grupo começou a ficar preocupado.

Na saída, Agente E fez uma última tentativa: pegou o portulábio e levantou-o em direção ao céu. Como em um passe de mágica, o sol refletiu no espelho da peça feita pelo poeta e um raio de luz atingiu o rochedo, onde fora pintado um barco. Helô, emocionada, disse:

– Vocês se lembram da lenda? Foi em um barco que A-Ma chegou sã e salva, não foi?

– Puxa, é mesmo! E foi em um naufrágio que Dinamene, a namorada de Camões, morreu, não foi? – acrescentou Agente E.

– Boa, pessoal! Vocês estão certos! A mensagem pode ter sido colocada nesse rochedo! – concluiu Mano-Loco. – Certamente, Camões quis homenageá-la!

Helô reparou em uma mancha vermelho-escura na proa da embarcação. Então ela chegou mais perto e mais perto, até que...

– O que são essas manchas debaixo da pintura vermelha? – perguntou Mano-Loco.

– Vamos ver com a lente vermelha do portulábio.

– Vejam, a cruz dos templários! – gritou Mano-Loco.

Agente E aproximou ainda mais a peça cheia de magia e todos puderam então ler, ao lado da cruz dos templários, uma nova mensagem em código.

– Isso é mágico mesmo! Sinto que são versos do poeta! – disse Helô. – Mas que destino ele nos reserva? O que é esse ponto de interrogação?

– Temos de procurar n'*Os lusíadas* alguma estrofe que fale de sândalo – disse Mano-Loco. – Vamos para o Ícaro!

Estavam tão entretidos que sequer repararam que um garoto de baixa estatura e traços orientais os observava, curioso.

– Boa tarde, o que estão a procurar? – intrometeu-se.

– Olá, como vai?! – Mano-Loco cumprimentou-o. – Quem é você?

– Sou José Chen Carneiro – respondeu o chinês, com ares acolhedores, exibindo um sorriso que quase tomou conta de todo o seu rosto miúdo, emoldurado por um cabelo liso e comprido.

Os Natos se apresentaram e pediram orientação para voltar rapidamente ao aeroporto.

– Que coisa estranha! – disse José. – Vocês são o segundo grupo que passa por aqui hoje, examina a escultura do junco e sai às pressas. Pela manhã, notei um pessoal estranho a falar uma língua muito esquisita. Consultavam umas anotações em uma folha de papel a todo instante. Acho que iam para Hong Kong, que fica bem perto de Macau – informou o garoto, que era filho de um são-tomense com uma chinesa e falava um português impecável.

– Jack Stress! Continuam na nossa frente! – lamentou Mano-Loco. – Devem ter ido para o lançamento da linha de livros em stressês, na feira de Hong Kong.

– Sugiro que vocês voltem para o aeroporto usando um riquixá – disse José. – É um meio de transporte ágil.

– Riquixá é um tipo de barco? – perguntou Agente E.

– Não. Os riquixás são atualmente puxados por uma bicicleta e o condutor chama-se *culei*. Um riquixá pode driblar o congestionamento que hoje, meus amigos, está um horror por causa de um acidente na ponte. Vou ligar para a central de turismo e pedir um veículo especial, com urgência – disse José, sorrindo.

– José, explica pra gente: por que muitos de vocês põem uma mão na frente da boca quando riem? – indagou Agente E. – Os chineses são tímidos?

– Na realidade, é uma tradição antiga. É uma espécie de etiqueta oriental, e as mulheres, principalmente, fazem isso em sinal de respeito.

– Puxa, se o Mestre estivesse conosco, diria que o Mano-Loco deveria ter nascido aqui, visto que só assim ele saberia conter suas gargalhadas estridentes – provocou Helô.

Todos riram, até José, que colocou a mão na frente dos lábios. Continuaram conversando e contavam os acontecimentos da viagem ao garoto chinês, quando um comprido riquixá chegou e os levou pela cidade de Macau, cujas placas eram escritas em português e em cantonês.

As ruas cheias de gente, o vozerio e as mercadorias empilhadas avançando pela calçada transformavam aquela atmosfera em uma autêntica "torre de babel" comercial. Não era para menos. Macau sempre tivera vocação para o comércio e, no passado, era um dos mais importantes entrepostos dos portugueses no Extremo Oriente.

– José, com a devolução de Macau à China, soube que algumas pessoas ganharam passaporte português e foram para a

Europa. E sua família, não quis ir para lá? – perguntou Helô.

– Não há razão para *bazar* daqui – respondeu o chinês. – O comércio, a indústria e o turismo estão em franco crescimento em Macau, nós...

– Bazar, você disse *bazar*? – interrompeu Mano-Loco.

– Ah, *bazar* é um termo usado na terra do meu pai, São Tomé e Príncipe, que significa *fugir*.

– Fugir! – gritou Mano-Loco, chamando a atenção de todos que estavam no *passeio*, na calçada.

Os pensamentos do garoto voaram longe.

– José Chen Carneiro, peça que os culeis nos levarem o mais rápido possível até o aeroporto – ordenou. – Creio que alguém vai estragar o lançamento dos dicionários de stressês no Salão Internacional do Livro de Hong Kong.

Sem entender onde o garoto queria chegar, o menino tratou de apressar os chineses que os puxavam. O riquixá desembestou pela Ponte Macau-Taipa, fazendo zigue-zagues e acrobacias que deixavam os motoristas boquiabertos.

Mano-Loco piscou para Helô e Agente E: o garoto acabara de decifrar uma difícil charada. A partir da terra de A-Ma, A Volta ao Mundo começaria a assistir a uma grande reviravolta.

Operação arriscada

23

O arranha-céu do Centro de Exibições de Hong Kong, no bairro de Wan-chai, transformara-se em um verdadeiro formigueiro humano. Eram dezessete horas naquela cidade chinesa. O Salão Internacional do Livro de Hong Kong, a Book Show, prometia muitas novidades: livros de todos os assuntos, desde romances até obras de ficção, de infantojuvenis a obras técnicas, livros eletrônicos, dicionários, livros em formato de brinquedo, enfim, livro de tudo o que era jeito... Editoras e compradores do mundo inteiro quase se estapeavam pelos corredores, disputando avidamente um lugar nos estandes dos expositores. A imprensa mundial também comparecia em peso. O mundo editorial estava em festa.

Em meio a tanta badalação, Jack Stress, o magnata do mercado gráfico e editorial, aproveitaria para lançar sua linha completa de livros do recém-desenvolvido idioma stressês. Seu aerobarco, sob o comando do C.E.O., fora buscá-lo em Macau e agora ele seguia pela Baía de Kowloon, em Hong Kong, aguardando pelo grande momento.

Jack Stress e seus filhos S1, S2 e S3 estavam radiantes. Tudo acontecera como planejado: participavam com sucesso da Volta ao Mundo e haviam conseguido chegar a tempo para o grande lançamento da editora. O grupo preparava-se para acompanhar um comunicado a ser gravado e, depois, divulgado no telão do estande da Jack Book na abertura da feira de livros. E, dali, as imagens ganhariam o mundo. Estavam apenas aguardando que seus seguranças trouxessem o grande "convidado" do dia.

Uma imagem no espelho começou a ganhar forma. O silêncio fez com que ouvisse sua própria respiração. O chão balançava, mas ela conseguiu manter-se em pé. Estava viva. Sim, ela, Felícia Ofélia, estava viva. Mas o que estava fazendo ali naquele banheiro?

O espelho não lhe respondeu, porém o cabelo despenteado, o rosto abatido e os olhos cansados a levaram a uma rápida viagem no tempo. Felícia tentou reconstituir os acontecimentos das últimas semanas. Subitamente, algumas lembranças vieram-lhe à cabeça e logo começou a entender tudo o que ocorrera. O café da manhã no Timor; aqueles jardineiros borrifando remédios contra pragas; um odor forte. Sim! Então, foi isso o que sucedera. Ela havia desmaiado! O mundo girando ao seu redor. Voltara a si por alguns minutos. Um avião, muitas paradas, escuridão... Uma entrevista gravada em que fora obrigada, sob a mira de uma metralhadora, a dizer que estava desistindo de apoiar a língua portuguesa. Isso! Mas... Mas havia uma mensagem! Sim, tal como o poeta Camões, ela passara uma mensagem secreta, escondida em palavras típicas de cada país em que se falava a língua portuguesa. Depois, o mesmo odor horrível.

– Fui sequestrada! – gritou. – Foi isso o que aconteceu! Fui sequestrada! Aquele aroma forte. Um aroma com efeitos hipnóticos. Durante esse tempo todo fui hipnotizada. Fui usada!!!

Mas, afinal, onde estou agora? – perguntava-se, em vão.

"Ah, e a mensagem! Como era mesmo aquela mensagem que mandei aos Natos, na esperança de que eles pudessem entender o que havia acontecido e, então, viessem me resgatar?" – pensava Felícia.

Abriu a porta do banheiro e entrou em um quarto, ou melhor, em uma cabine! Cabine? O chão continuava a balançar. Ela só podia estar em um barco. Exatamente. Ela estava em um barco! Olhou pela janela embaçada e viu muitos navios, lanchas e juncos, os barcos de pesca chineses. No horizonte, uma selva de luminosos, exibindo nomes em inglês e chinês. Era uma paisagem inconfundível.

– Hong Kong! Agora me lembro. Eu ainda estou na Baía de Kowloon, em Hong Kong! – sussurrou.

Felícia foi até o banheiro, ajeitou o cabelo e lavou o rosto. Estava excitada, ansiosa. Voltou para a cabine. Ao passar pela pequena cômoda, notou um jornal em que se destacava uma manchete sobre a abertura da Feira de Livros de Hong Kong. Era o *Diário de Macau*, que informava sobre o lançamento de uma nova língua, o stressês. No alto, dominando a primeira página, uma foto de...

– Jack Stress! – gritou, fechando os punhos e rangendo os dentes. – Gênio da Maldade! Foi ele! Sim, foi ele quem me sequestrou!

Felícia andava de um lado para o outro daquela cabine ricamente decorada com tapetes persas e luminárias italianas. Preso à parede, um quadro com uma foto de um aerobarco vermelho lhe trouxe as lembranças que buscava. Começou, então, a se recordar do que acontecera antes e depois daquela declaração para a TV. Nos momentos de lucidez que teve antes e durante a entrevista que gravou em um estúdio fechado de Jack Stress, o empresário lhe dissera que ela acordaria novamente apenas para fazer um comunicado na abertura da Book Show, em Hong Kong. Nada mais lhe ocorreu senão dar uma de louca e enviar uma mensagem durante a entrevista. Depois, a escuridão.

Agora, sua mente trabalhava rápido como nunca. Mensagem, aerobarcos, mensagem, feira, muita gente, muita...

– Confusão! Confusão em Moçambique é *pé de vento*. Isso! A mensagem! Estou a lembrar de tudo. Barco encarnado que voa! Bazar! Preciso fugir!

De repente, a porta foi aberta bruscamente. Dois seguranças entraram e um deles perguntou à professora:

– Você *ready*, pronta? Haha, hoje sem perfuminho – a voz do homem de porte atlético deixou Felícia em estado de choque, como se permanecesse ainda dopada. – Precisamos de umas palavrinhas suas, apoiando nossa nova língua, OK!?

"Ele precisa achar que eu ainda não recuperei os sentidos. Preciso dar um jeito de sair daqui. Tenho de aproveitar esse momento" – raciocinou.

– Sim... estou... acabando... de me trocar... – disse, aparentando estar com tontura.

Felícia então atirou-se ao chão, fingindo um desmaio.

– Nossa, o que é isso? Acho que a última dose de Perfume da Colaboração Incondicional ainda está surtindo efeito! Ela está *very bad*! Muito mal. Ela não pode gravar assim. Cadê o nosso C.E.O.? Ele, que sempre esteve com ela, saberá o que fazer – disse o segurança, saindo às pressas em busca de ajuda do Canalha-Encarregado-Operacional.

"Perfume da Colaboração Incondicional" – pensou. "Agora sei exatamente o que aconteceu. É incrível, mas certamente estive a serviço de Jack Stress todo esse tempo. O que terei dito ou feito para o empresário? Não consigo me lembrar. Mas certamente fui usada com a finalidade de valorizar essa nova língua que pode tomar o lugar do meu português! Agora, todos vão acabar achando que esse stressês é o máximo. E, logicamente, eu, Felícia, a embaixadora da língua portuguesa, serei obrigada a defender a nova língua na Feira de Livros de Hong Kong. E depois, o que farão comigo?"

Olhou para o céu e um avião conhecido chamou-lhe a atenção. Era Ícaro, que deu mais duas voltas em torno do barco. A timorense sorriu e sussurrou:

– Ah, um *banheiro* vai me salvar!

Os dois gorilas voltaram com o C.E.O., porém, antes que falassem algo, a professora tratou de tranquilizá-los:

– Estou melhor, não se preocupem. Foi só um susto. E não há necessidade de metralhadoras. Falarei o que quiserem, sem parecer assustada ou hipnotizada.

Surpresos com a colaboração da inteligente mestra timorense, o trio a conduziu a um estúdio com câmeras de televisão e muitas luzes. Um homem forte e truculento, acompanhado por três garotos esquisitos, veio ao seu encontro...

– Jack Stress! – gritou Felícia.

– Boa tarde, professorinha, como vai? – disse, em tom de superioridade. – Estamos muito agradecidos pelo seu *help*, pela sua ajuda em decifrar mensagens do tal de Camões e, também, por nos ajudar a transitar nesses países onde se fala português, essa língua sem importância. Agora, só falta você gravar uma declaração para o mundo dizendo que nosso stressês é muito útil – completou.

A mente de Felícia não parava. As pessoas certamente achariam que ela tinha enlouquecido e agora voltava curada para defender aquela nova língua. Mas e os Natos? Teriam entendido mesmo a sua mensagem? Olhou para o empresário e provocou-o:

– E o que você vai ganhar com tudo isso, seu bandido?

– Hahahaha! Eu e meus sócios vamos inundar o Brasil de dicionários, livros e enciclopédias em stressês. Já há muito otário nesses lugares todos que, sem perceber, fala a nossa língua. Será o passo decisivo para dominarmos tudo. O Brasil será uma colônia, será nosso quintal. Para sempre! Hahahaha!

Felícia não se conteve e, arrancando um extintor de incêndio que estava preso à parede, partiu para cima do empresário.

– Haha, a professorinha continua louca? – perguntou Jack Stress, rindo. – Pode gritar, esbravejar, ninguém vai escutá-la.

No entanto, Felícia, desviando-se dos gorilas que foram proteger o empresário, correu rapidamente para uma janela.

Em Macau, os Natos chegaram ao aeroporto, encontraram-se com Mestre Alceu e seguiram imediatamente para o Ícaro. Mano-Loco ligou para a base assim que entrou na cabine e desembestou a falar para todos, sem perder o fôlego:

– Atenção, Natos! Tenho uma revelação-bomba para fazer. Descobri toda a tramoia do Jack Stress. Aquela declaração maluca da professora Felícia era uma mensagem em código para nós. Ela esteve, a maior parte do tempo, hipnotizada pelo pessoal do Jack Stress.

Todos ficaram paralisados com as palavras do garoto. Não se ouvia nenhum ruído no avião dos Natos nem na base. Foi quando Mestre Alceu, orgulhoso da professora timorense, explodiu de entusiasmo:

– Jovens, acho que isso faz sentido. Ela precisava se comunicar conosco, mas se desconfiassem de algo, aquela entrevista certamente seria regravada. Ela previu que, durante A Volta ao Mundo, nós, e somente nós, quando estivéssemos em cada país, iríamos pouco a pouco entender o significado daquelas palavras.

Mano-Loco falou a mensagem, já totalmente decifrada:

– Ouçam o que ela quis dizer: "Ontem, estava tomando café da manhã quando de repente perdi os sentidos. Quando acordei, estava sendo vigiada por dois capangas. No dia da grande confusão, na feira de livros, quero fugir do poderoso vigarista Jack Stress. Estou em um aerobarco vermelho na Baía de Kowloon e um salva-vidas terá de me resgatar no mar."

Mestre Alceu, emocionado com o trabalho dos seus pupilos, manifestou-se:

– Parabéns, jovens! Vocês são verdadeiros Natos!

– Ainda bem que ela conseguiu enviar essa mensagem! – completou Agente E.

– Esse Jack Stress não brinca em serviço! – disse Helô.

O momento, porém, não era para comemorações e exigia ação.

– Vamos decolar já! Vai escurecer e teremos dificuldade em encontrar o aerobarco do Jack Stress! – ponderou Mestre Alceu.

Em poucos minutos, os Natos sobrevoavam Macau, aproveitando os últimos raios do sol.

– Precisamos encontrar um aerobarco vermelho na Baía de Kowloon – lembrou Agente E.

– Estamos a menos de quinze minutos de Hong Kong – informou Mestre Alceu. – A noite está chegando e não teremos muita energia. Por sorte, o mar está calmo e poderemos amerissar.

Rapidamente, Mestre Alceu baixou um pouco a altitude do Ícaro para poderem enxergar melhor. No mar, um ponto escuro singrava as águas em alta velocidade, indo em direção ao Porto de Hong Kong.

– Vejam, lá longe! Aquele barco parece que está voando! – disse Helô.

– É um aerobarco! – completou Mano-Loco.

– E o barco é todo vermelho! Olhem! Há uma palavra pintada no teto! – exclamou Agente E, com um binóculo na mão. – Está escrito s.s.s.!

– s.s.s.! Super Stress School! É o aerobarco do Jack Stress – gritou Mano-Loco.

– A Felícia deve estar lá dentro! – completou Mestre Alceu.

Ícaro sobrevoou a embarcação e deu meia-volta, baixando sua altitude. Fez a mesma operação mais duas vezes.

Um misto de euforia e preocupação tomou conta dos Natos. Será que a professora teria realmente recobrado a memória? Talvez. No entanto, não tinham muito o que pensar. Fazer uma denúncia à polícia seria arriscado. Jack Stress era muito ágil. Não havia provas. Aquela era a grande chance. A expectativa atingia seu clímax. Como faria Felícia para sair do barco que quase "voava" a cem quilômetros por hora? A resposta veio logo a seguir...

– Vejam! O barco parou! – gritou Agente E.

Ícaro estava atrás do barco do megaempresário e começou sua perigosa amerissagem. Baixou lentamente e seu impacto contra a água transformou-se em uma explosão de espuma. O avião dos Natos concluiu o pouso e seguiu, sacolejando, em direção ao barco vermelho, que continuava no mesmo lugar.

Quando estavam a menos de cem metros do barco dos rivais, Mano-Loco abriu a porta. Um barulho estridente invadiu a cabine. Um alarme soara no barco a jato. Puderam assistir a uma intensa movimentação a bordo. Seguranças armados gesticulavam nervosamente, enquanto marinheiros corriam para todos os lados.

Uma janela fora arrebentada no segundo andar do aerobarco, certamente acionando um dispositivo de segurança e fazendo a embarcação parar. Alguém se preparava para saltar. Era uma mulher. Era...

– Felícia! – gritou Mano-Loco, usando o seu binóculo.

A professora não perdeu tempo. No momento em que um segurança ia agarrá-la, ela se atirou ao mar de uma altura de quase 20 metros.

– Agente E, jogue a corda! – gritou Mestre Alceu.

O menino lançou uma corda na direção do local onde a professora mergulhara. Os tripulantes do Ícaro prenderam a respiração. Aqueles segundos pareciam durar uma eternidade. Todos olhavam para o mar. Nenhuma resposta. Nenhum sinal de Felícia...

Em busca da terra do sândalo

24

No desespero, Mano-Loco atirou-se ao mar. Naquele momento, o tempo fechou e um grande temporal despencou sobre a baía. Quase não se conseguia enxergar o barco de Jack Stress.

Preso a uma corda de quarenta metros de comprimento, Mano-Loco se debatia debaixo d'água. Não conseguia enxergar Felícia. Quando já estava quase sem fôlego, a ponto de "explodir", cessou seus movimentos e, então, voltou à superfície. Ao respirar e abrir os olhos, esbarrou em algo que se mexia. Era uma mão. Um braço. Era...

– Felícia! Professora! – berrou Mano-Loco.

– Mestre! – ela respondeu, quase sem fôlego. – Eu vi o Ícaro, sabia que era você!

– Não. Sou o Mano-Loco, dos Natos!

– Puxa, mas que bom! Vocês entenderam minha mensagem!

Abraçavam-se efusivamente enquanto eram fisgados por Agente E, que procurava puxá-los para dentro do avião.

Finalmente, a mão de Mano-Loco tocou no flutuador do Ícaro. Com muito esforço, o garoto e a professora Felícia entraram no hidroavião.

Bam! – a porta fechou-se atrás deles.

Mestre Alceu, Helô e Agente E pularam em cima da professora e de Mano-Loco e os abraçaram.

– Viva! A professora está viva! – gritaram.

– Conseguimos! – Mano-Loco comemorou, quase desmaiando de tanto cansaço.

– Parabéns! Os Natos são realmente impossíveis! – exclamou a professora, emocionada.

Entraram em contato com a base e, do outro lado do mundo, a tripulação pôde ouvir a festa que o pessoal fazia no Brasil.

– Viva Felícia! Viva os Natos! – comemoraram.

– Mestre Alceu, sabia que vocês não me deixariam na mão!

– Jamais, minha amiga. Seja bem-vinda! Os Natos estão mais fortes do que nunca! Agora temos a força e a garra dos timorenses!

A alegria deu um novo combustível ao Ícaro, cujo motor continuara a funcionar durante todo o tempo em que esteve no mar. Mestre Alceu colocou o avião em plena velocidade, levantando voo de volta a Macau. O entusiasmo era tanto que sequer sentiram a turbulência causada pela tempestade.

– Como está a disputa? – perguntou Felícia, após ter colocado um agasalho de Helô, impecavelmente limpo.

Mano-Loco resumiu as regras e o desenrolar da Volta ao Mundo e, ao final, disse rindo, com bastante ironia:

– O Jack Stress tem conseguido se dar bem... Graças a você!

– É verdade. Mal posso acreditar. Fui hipnotizada esse tempo todo! Mas, felizmente, consegui aproveitar para fugir, quando iam me obrigar a fazer o tal comunicado em apoio ao stressês, que eles pretendiam mostrar, em vídeo, no dia da abertura da feira de livros.

Apresentaram Agente E à professora, que ouviu interessada as palavras de mais um Nato:

– É, a s.s.s. só podia decifrar as mensagens com a ajuda de alguém. Suas informações eram enviadas aqui de Hong Kong para o Jack Stress pela internet. Por isso é que eles estavam sempre com uma folha de papel na mão. Não precisavam perguntar nada a mais ninguém! Você foi forçada a facilitar tudo para eles.

– Mas eles devem estar surpresos com o nosso desempenho, pois, afinal, chegamos juntos a Macau – completou Helô. – E sem apelação, exceto quanto à questão do gás. – disse, olhando para Mano-Loco.

– Não me venham falar em gás! – disse a mestra timorense, bem-humorada.

– No fim, Jack Stress está recebendo o merecido troco, na mesma moeda! – sentenciou Mano-Loco.

– Jovens, isso já é passado – interrompeu Mestre Alceu. – Ainda temos muitos desafios pela frente.

– Jack Stress deve estar desesperado atrás da professora – disse Mano-Loco. – Se ficarem em terra até amanhã, na pior das hipóteses, decolaremos juntos para a próxima etapa. Por isso, todo o cuidado é pouco. A professora não deve nem sair do avião em nosso pernoite no aeroporto de Macau.

– E, a propósito, para onde temos de ir agora? – perguntou a professora Felícia.

– Precisamos ainda decifrar a pista que o poeta deixou no Templo de A-Ma, em Macau – lembrou Mano-Loco.

– Helô, qual era a mensagem que estava na escultura, escrita junto à cruz dos templários? – perguntou Agente E.

A menina escreveu em uma folha de papel e leu em voz alta:

Ali também – ? – que o lenho manda
Sândalo, salutífero e cheiroso...

– Terra do sândalo. Hummm. O ponto de interrogação significa Timor! – disse Felícia.

– Então é o seu país! – exclamou Helô.

– Sim, e os versos são inconfundíveis. Isso é, coisa do poeta. Que bela mensagem em código! O sândalo é uma árvore que existia em abundância no Timor e que produz um óleo aromático, saudável e cheiroso.

– O português é uma das línguas do seu país, não é, professora? – perguntou Mano-Loco, entusiasmado.

– É a língua oficial, sim. Está na Constituição!

– Mas em que lugar do Timor deveremos ir? – replicou.

– A resposta deve estar na última frase que encontramos em Macau: "O caminho está cada vez mais nas suas mãos!" – lembrou Helô.

– E desta vez será que o portulábio não vai trazer nenhuma resposta mágica? – indagou Agente E.

– Portulábio? – perguntou Felícia, sem entender.

Agente E entregou o portulábio a Helô, que explicou tudo o que haviam descoberto graças àquele instrumento confeccionado por Camões. Ao reparar nas mãozinhas de Helô, um estalo veio à cabeça de Mano-Loco.

– Não se mexa, Helô. Continue segurando o portulábio, que vou colocar uma folha de papel embaixo.

O menino pegou um lápis e desenhou o contorno do portulábio, sendo segurado pelos dedinhos da menina.

– É o contorno de uma ilha! – gritaram.

– Nem precisava desenhar. Já estava reconhecendo este formato. É a ilha de Timor! – completou Felícia. – Podem conferir com a lupa do portulábio no mapa. É idêntico. Lembra um crocodilo, animal que é muito sagrado para nós, timorenses.

– Então essas letras “LC”, que estão no portulábio, não significam Luís de Camões. Elas podem ser a indicação do local onde deve estar a pista final que vai nos levar ao tesouro! – deduziu Mestre Alceu.

Felícia estava cada vez mais empolgada. Levantou-se e, quase aos gritos, deduziu:

– Pode ser mesmo! As letras LC estão exatamente sobre um dos primeiros locais onde os portugueses se estabeleceram em Timor, há mais de quinhentos anos: Lifau. Acho que o “L” é justamente de Lifau, na província de Oecussi, no lado oeste da ilha.

– E olhando bem, o “C”, na realidade, parece mais um canhão! – completou Mano-Loco, pulando, sem conter sua euforia.

– Boa, Mano-Loco! Em Lifau, há uma praia onde se pode ver um canhão e uma cruz, sinais da chegada dos portugueses.

– Descobrimos! Dá-lhe, Natos! – comemoraram todos, abraçados.

Na esperança de que estivessem no caminho certo para a penúltima mensagem de Camões, chegaram a Macau. Continuariam a viagem na manhã seguinte com o avião mais do que cheio... de gente e de felicidade.

À noite, ficaram no avião para assistir ao noticiário e ter informações a respeito de Jack Stress. Mano-Loco estava excitado. Mestre Alceu, então, lembrou-se de uma coisa:

– Ah, Mano-Loco, tenho uma surpresa. Um presente para você, pelo seu belo trabalho – e, ao concluir, foi até a despensa e voltou com um saco cheio.

– O que é isso? Repolho? – perguntou Felícia, indignada. – Então esses bravos garotos decifram uma mensagem, estão cumprindo uma bela missão, enfrentando este malandro do Jack

Stress e ganham de presente repolho, que, ainda por cima, parece estar estragado?

Mestre Alceu então explicou a invenção do Nato, gozando o pupilo. Mano-Loco saiu de mansinho da cabine e foi direto ao banheiro. Trancou-se lá, preparou seu gás e, depois de alguns minutos, voltou com aquela cara de quem aprontou ou ia aprontar alguma. E ia mesmo:

– Pessoal, Jack Stress e sua patota merecem uma dura lição, vocês não acham? Agora, eu vou mostrar a vocês o meu invento por completo.

– Ih, lá vem bomba! – disse Helô.

– A internet tem evoluído bastante e já até convergiu para a TV e o computador em uma coisa só, não é verdade? Virou Teve-net. Pois também já inventaram as mensagens eletrônicas com aroma. O que vocês acham de mandarmos um "alô" para o Jack Stress, lá na Book Show?

– Você não está querendo dizer que o seu "alô" vai com alguma coisa anexa, tipo um arquivo do gás da doideira?

– Ahã! – disse, balançando afirmativamente com a cabeça e babando de contentamento.

Todos ficaram arrepiados, temendo o que viria a seguir.

– Eu acabei de extrair uma belíssima dose de gás da doideira no banheiro. O Mestre me deu a deixa, eu peguei todos os ingredientes da minha maleta, coloquei a máscara e fiz a misturreba toda. Pensei que aquilo fosse explodir... Ainda bem que a porta ficou bem fechada e não passou nenhum vaporzinho pra cabine.

– Nunca ouvi tanta besteira! – lamentou Mestre Alceu.

– Mano-Loco, mande a mensagem para o Jack Stress, ele merece! – incentivou-o Agente E.

– É, acho que depois do que eu sofri com os aromas que eles me obrigaram a cheirar, é hora da mandarmos um aroma inesquecível para ele! – apoiou Felícia.

O sorriso de Mestre Alceu foi uma aprovação, e o menino não perdeu tempo. Pegou o conversor de cheiros e transformou o gás da doideira em um gás digital, virtual.

E, em poucos minutos, uma mensagem perfumada e "bombástica" era enviada ao megaempresário, que a essa hora já deveria estar na feira de Hong Kong, lotada de gente.

Jack Stress chegou à Book Show atrasado e furioso, sem ter entendido o que havia acontecido e onde estaria a professora Felícia. Entretanto, estava disposto a não se entregar. Muito pelo contrário. Seu estande estava lotado de repórteres, cinegrafistas, jornalistas e compradores de livros. O empresário foi recebido com muitos aplausos. E aproveitou para manter a pose, subindo em um pedestal de onde logo desembestou a falar:

– *Ladies and Gentlemen*, Senhoras e Senhores, o Brasil necessita de uma língua S.P.T.! – e ficou por vários minutos falando aquela papagaiada toda, de que o português era uma língua que estava perdendo a importância, de que o stressês poupava verbos, economizava tempo e outras bobagens.

No estande especial da Jack Book, todo fechado, onde só podiam entrar os convidados do megaempresário, assistiam ao discurso de lançamento oficial da nova língua muitos artistas, políticos, professores, diretores de diversas ONGS, religiosos, autoridades e até o presidente do Sri Lanka. Todos estavam interessados no stressês e escutavam o discurso em tradução simultânea. Poderiam também adaptá-lo às suas línguas. Uma equipe da Tevenet registrava o evento.

Jack Stress acionou a tela na internet para mostrar a primeira entrevista maluca da Professora Felícia no Timor. Primeira e única, porque a segunda não foi realizada. Naquele momento, apareceu na tela uma mensagem identificada como "URGENTE", com o título "Mensagem em defesa do stressês".

O murmúrio foi geral e Jack Stress tão descontrolado estava que nem desconfiou o que poderia ser aquilo.

– Haha, vejam, ouçam que interessante essa mensagem de apoio à nossa língua. Sintam que...

Mal conseguiu terminar a frase. Ao clicar no ícone que avisava sobre a chegada da mensagem, um odor insuportável saiu do decodificador de cheiros. E aí foi um festival de absurdos, alguns indescritíveis. O certo é que os ilustres convidados que estavam no estande da Jack Book entraram em estado de demência total. E tudo aquilo era mostrado aos olhos do mundo. Aqueles que assistiam ao noticiário ao vivo, pela Tevenet, não conseguiam entender o que estava acontecendo. Jack Stress iniciou um Show do Burrão ali mesmo. E as perguntas e respostas foram tão ridículas que não vale nem a pena repetir. Todos falavam asneiras e mais asneiras enquanto se lambuzavam com as bebidas e comidas que lhes eram oferecidas. Depois, em um delírio, começaram a rasgar os livros, enciclopédias e dicionários da Jack Book. Com as páginas, faziam bolas de papel e as atiravam sobre o megaempresário e sobre os Stress Boys, como fazem crianças bagunceiras. Aos poucos, tudo o que havia no estande foi transformado em um monte de lixo. E assim foi lançado o stressês.

Os Natos explodiam de tanto rir, diante da perplexidade dos âncoras dos noticiários. Mano-Loco perdeu pelo menos quatro quilos de tanto dar gargalhadas. Helô, enojada, saiu da cabine, porém bem que gostou de ver aquela doideira. Mestre Alceu, quando viu que Felícia havia aprovado a lição contra o empresário vigarista, tentou disfarçar, porém não conseguiu esconder que sentia um certo gosto de vingança. Agente E também não parava de rir. Contudo, além deles, ninguém jamais entendeu o que havia acontecido. A tela e os equipamentos eletrônicos que foram utilizados no estande, que poderiam trazer a prova de quem enviara aquela mensagem aromática, foram totalmente destruídos pelas pessoas enlouquecidas.

Enfim, foi uma noite que começou e terminou cheirando mal. No entanto, a bordo do Ícaro, todos dormiram serenamente. E com bons fluidos.

Eram seis horas da manhã quando decolaram rumo ao Timor. A visibilidade estava muito ruim devido aos fortes ventos e a uma estranha nuvem de areia que tomava conta da ilha. Quando o avião subiu e sobrevoou o aeroporto, puderam ver um jato sendo puxado do hangar por um guincho: era o Adamastor.

Após uma hora de voo, ainda sonolentos, foram despertados pela voz de Luzia, que, do outro lado do planeta, estava no começo da noite do dia anterior.

– Temos duas notícias importantes. A primeira é que Jack Stress, depois do caos no seu estande na feira do livro, que nem ele nem ninguém conseguiu explicar, prometeu dedicar toda sua atenção à competição. Ele quer ser, a qualquer custo, o vencedor da Volta ao Mundo para provar definitivamente a força da sua língua.

– Que venha para a disputa! – gritaram em coro.

– E qual é a outra notícia? – perguntou Mestre Alceu.

– Uma tempestade de poeira, vinda do norte da China, fechou os aeroportos da costa do país.

– Com isso, Jack Stress ficará preso em Macau? – perguntou Helô.

– Creio que não terá outra opção – confirmou Luzia – a tempestade não deverá acabar logo, talvez dure até amanhã.

– Bem, isso é problema dele. Vamos nos concentrar no Timor – sugeriu Felícia. – Lá eu direi ao mundo que estou apoiando a língua portuguesa e que tudo isso foi uma armação do Jack Stress!

Refeita da sua terrível aventura, ela estava sorridente. Certamente era bem mais velha do que aparentava, porém jamais revelaria sua idade. Sua beleza exótica causava suspiros nos homens. Mano-Loco também a admirava muito, mas nada se comparava a...

– Pare de sonhar, seu *mandrião*, preguiçoso: estamos chegando! – disse Mestre Alceu, cutucando o apaixonado Nato.

Era quase meio-dia quando, depois de inúmeras ilhas, os tripulantes do avião avistaram o Timor-Leste ou Timor Lorosae, o Timor do Sol Nascente. A ilha, vaidosa, com sua vegetação farta e contornada por praias exuberantes, parecia uma moça em dia de festa, usando um vestido verde, com um provocante babado branco ao seu redor. Seus pés eram enfeitados por belíssimos corais multicoloridos, que o mar, cristalino, fazia questão de mostrar.

Mestre Alceu baixou o trem de pouso e pediu autorização de *aterragem* no aeroporto de Comoro, em Díli, onde pegariam um barco até Lifau.

Sob um sol escaldante de 35 graus, o grupo aterrissou na terra de Felícia. O calor daquele país, que tanto sofrera antes de nascer, confundia-se com o calor humano de um povo que amava sua terra e que, após muitos anos de luta, agora podia dizer em português, sem medo e com muito orgulho:

– Bem-vindos ao Timor-Leste!

O mapa do tesouro está no *lulik*

25

Ao saírem pelas ruas de Díli, os Natos respiraram um ar de paz e liberdade. Até Mestre Alceu quis conhecer o novo país e foi junto com o grupo. Crianças alegres corriam pelas ruas, falando tétum, o dialeto local, e português, ensinado nas salas de aula.

– Aqui sempre se falou português, professora? – perguntou Mano-Loco.

– Não, houve muita guerra por aqui. Num passado não distante a ilha era dominada pela Indonésia, que tentou impor a cultura e a língua dos invasores.

– E isso durou muito tempo? – indagou Helô.

– Vinte e quatro anos – respondeu Felícia, emocionada, lembrando-se do tempo em que não podia ensinar a língua portuguesa.

Enquanto a professora caminhava, era saudada pelos timorenses, que demonstravam alegria e alívio ao vê-la de volta depois daquele estranho desaparecimento. Motoristas de *taksis* buzinavam em sua homenagem; os passageiros dos *microletes*, a lotação timorense, batiam palmas; trabalhadores paravam sua labuta e assobiavam; crianças vinham ao seu encontro.

– Professora Felícia! – gritaram algumas meninas que passavam em trajes escolares. Vestiam saias azuis e camisas brancas, e logo cercaram a mestra timorense, enchendo-a de beijos e abraços.

– Olá! Como vão? – saudou Felícia, sorridente, enquanto apresentava os Natos.

– Melhor agora, com a senhora! – rimaram em coro.

A criançada procurava caprichar no português. Sorriam para a professora e a seguiam rua abaixo, cantando e dançando.

– Puxa, acho o máximo encontrar gente falando a nossa língua por essas bandas – observou Mano-Loco.

– É verdade! Bem que Xanana Gusmão disse que a língua portuguesa era – e continua sendo – uma das razões de o Timor-Leste ter a própria identidade e ser diferente de tantas outras ilhas que existem nesta região.

– Xanana Gusmão. Quem é ele? – perguntou Helô.

– Foi um dos líderes da nossa independência e tornou-se o primeiro presidente. Nós lutamos de todas as formas para conquistar a liberdade, mas hoje o que queremos é paz – disse Felícia.

Podiam ver a bandeira vermelha do Timor tremulando, alegre e faceira, do alto de todos os edifícios. Agente E não parava de pensar, sempre fazendo cálculos. De repente, desembestou a falar:

– Pessoal, agora falta pouco para nós. Estamos dentro do prazo. Hoje, entramos no sexto dia de viagem. O poeta disse que passaríamos em dez terras antes de chegar ao tesouro. Como essa é a nona etapa da Volta ao Mundo, teremos então quase quatro dias para chegar ao local onde a arca está escondida no Brasil – concluiu ele.

– É, jovem, mas ainda há muito o que voar e procurar – disse Mestre Alceu. – O Brasil é muito grande e precisamos saber exatamente em que lugar está o tesouro.

Quando passavam em frente a uma escola, um vendedor ambulante ofereceu artesanato local aos Natos. Em suas mãos, estava um lindo colar de conchas, tendo ao centro uma estrela vermelha.

– Ó *miúdo*, tu és *fixe* e terás muita sorte se usares este colar timorense! – gritou o homem, de cabelo grisalho e olhar que só não era mais malandro porque ele não parava de piscar.

– Estes colares são bonitos, mas não temos dinheiro daqui, *ó pá*! – respondeu Mano-Loco, tentando cair fora.

Ágil e cheio de artimanhas, o vendedor não perdeu tempo e logo abordou Agente E.

– Para ti, este colar há de ajudar a enfrentar um grande desafio que vem pela frente.

Felícia e Mestre Alceu conversavam e não deram a mínima atenção para o homem, que tentava a todo custo vender os tais colares da sorte. Agente E, tentando se livrar do assédio do vendedor, que continuava a segui-los, disse:

– Está bem, está bem. Se aceitar uma moeda de um real, lá do Brasil, o negócio está fechado.

– Uma moeda do Brasil?! Isso é que vai me dar sorte! Negócio fechado!

O homem então colocou, fazendo um certo ritual, o colar no pescoço de Agente E. Antes de desaparecer no meio da multidão, ainda desejou boa sorte ao *brasuca*:

– Terás muito êxito nas suas aventuras e certamente chegarás onde queres!

Agente E não quis parecer insensível e ficou com o colar. Quem sabe ele não daria sorte aos Natos naquela reta final da disputa?

Os Natos seguiram caminhando e ficaram encantados ao

passarem por uma casa no estilo maubere.

– Que *giro*! – exclamou Helô.

– *Bué fixe*! – disse Mestre Alceu à moda angolana.

– *Bestial*! – gritou Agente E, lembrando-se do jeito como os portugueses também falavam.

– Legal! – completou Mano-Loco.

As casas eram construídas com madeira e folhas de palmeira e muitas eram cobertas de sapé. Erguidas sobre quatro pilares similares a troncos de árvore, deixavam um enorme vão na parte de baixo. Lembravam as palafitas da Amazônia, em uma versão cinematográfica.

Ao dobrarem uma esquina, chegaram ao porto, pegaram uma carona em um barco à vela e aproveitaram para curtir o mar transparente, ver os corais e apreciar a paisagem. Podiam ver, ao longo da costa e das montanhas, arrozais, coqueiros, cafezais, bananeiras: eram o sustento do povo daquela ilha. Após horas de viagem e muito sol, chegaram a Lifau, um pequeno vilarejo que guardava muita história e, quem sabe, também lhes revelaria o mapa do tesouro... Afinal, faltava apenas uma mensagem.

Seguindo a professora, foram direto para uma praia onde havia uma cruz e um canhão, sinais da chegada dos portugueses à ilha. O local, que ficava próximo ao porto, estava meio abandonado.

O grupo cercou o canhão e o esquadrinhou milímetro por milímetro, porém não conseguiram encontrar nada.

– Droga, será que realmente há algo neste canhão? – perguntou Mano-Loco.

– É, tenho minhas dúvidas se Camões escondeu mesmo a pista aqui – questionou Agente E.

– Natos, vamos usar o portulábio! – lembrou Helô.

Agente E pegou a peça salvadora e deslizou-a sobre o canhão. Ao encostar a lupa em uma parte bem enferrujada, algo lhe chamou a atenção:

MAS CÁ... ONDE MAIS... SE ALARGA, ALI... TEREIS
PARTE... TAMBÉM, CO'O PAU... VERMELHO NOTA...
DE SANTA CRUZ... O NOME... LHE POREIS...

– Vejam, acho que há alguma coisa escrita. E tem a cruz dos templários!

– Escrita? Duro será ler alguma coisa nesse treco aí – lamentou Mano-Loco.

– Puxa vida, bem que esse canhãozinho podia estar mais conservado! – lamentou Helô.

– Poderia ser pior. E se tivessem lixado e apagado o que está escrito? – disse Felícia. – Mas se tem a cruz dos templários é um sinal do poeta!

A mestra, que conhecia como ninguém a obra de Camões, pediu o portulábio emprestado e tratou de encontrar o sentido daquelas palavras. Após ler, palavra por palavra...

– Mas cá... onde mais... se alarga, ali... tereis
Parte... também, co'o pau... vermelho nota...
De Santa Cruz... o nome... lhe poreis...

– Pau vermelho é o pau-brasil! – exclamou Mestre Alceu.

– E Santa Cruz é um dos primeiros nomes do Brasil! – completou Helô.

– Estamos no caminho certo. O tesouro deve estar mesmo no Brasil! – disse Mano-Loco.

– Mas em que lugar? – perguntou Agente E.

– Esperem! Há mais uma frase! – gritou Felícia.

Junto com os versos, Camões deixara mais uma pista. A professora foi, mais uma vez, juntando as palavras:

– O sol... revelará... o mapa do.. tesouro, que está... na ponta dos... seus dedos..., no *lulik*.

– *Lulik*? – perguntaram todos, menos Felícia, que explicou.

– *Lulik* é um tipo de objeto natural que os nativos do Timor acreditam ter poderes.

Todos ficaram boquiabertos. Mais uma grande revelação se desenhava diante deles...

– Mas por que "no *lulik*"? – perguntou Mestre Alceu.

Mano-Loco olhou para a amiga e perguntou:

– Helô, você está pensando o mesmo que eu?

A menina balançou a cabeça afirmativamente. Os outros, silenciosamente, fizeram o mesmo, até que explodiram em voz alta:

– O portulábio é um *lulik*!

– E o mapa do tesouro deve estar nele – disse Mano-Loco, procurando algum orifício ou saliência que pudesse conter uma mensagem.

Helô, muito mais jeitosa, com seus "dedos de futura médica", pegou o portulábio, manipulou-o de todos os jeitos, até que o levantou contra o sol e exclamou:

– Natos, há uma frase que, contra o sol, dá para ler certinho!

– Então, leia logo, Helô. É a mensagem que pode nos levar ao tesouro! – gritou Mano-Loco.

– Da primeira cruz rumo ao Austro dez passos darás.

– É o "mapa" do tesouro! – gritaram em coro.

– E a cruz a que ele se refere deve ser a da missa que foi rezada logo que os portugueses chegaram às terras que depois chamariam de Brasil – observou Helô, eufórica.

– Sei que foram rezadas duas missas – disse Mestre Alceu. – E na segunda, na foz do Rio Mutari, em Porto Seguro, no dia 1º de maio de 1500, ergueram uma cruz voltada para o mar simbolizando a conquista das novas terras e a fé na religião cristã.

– As referências a passos em direção do Austro devem significar que devemos dar dez passos rumo ao Norte a partir do local onde fincaram essa cruz – deduziu Mano-Loco.

– Por que rumo ao Norte? – perguntou Felícia, com ares de dúvida.

– Porque ele deve estar se referindo à Áustria, que está ao Norte, na Europa – explicou.

– Então, achamos o lugar onde está o tesouro! Só precisamos chegar antes de Jack Stress! – concluiu Agente E.

– Porto Seguro, vamos já! – gritaram juntos.

Voltaram para Díli no mesmo barco. A vontade que tinham era de partir rumo ao Brasil naquele momento, porém o dia já ia escurecendo. Na capital do Timor, aproveitaram para comer e descansar. Depois de saborearem várias trouxinhas de *catupa*, uma mistura de arroz e coco, acomodaram-se em redes sob palmeiras na casa de Felícia, à beira-mar. A noite parecia uma pintura. O céu transbordava de estrelas. O brilho delas era intenso, porém não eram apenas as estrelas que cintilavam.

– Luze-cu! Que lindo! O céu está repleto de luze-cu! – disse Felícia, encantada.

– Felícia, você ficou louca de novo! – advertiu Mano-Loco, abismado com o palavrão que a professora, tão meiga, acabara de falar.

– Ah, esqueci! Luze-cu no Brasil é vaga-lume.

Todos quase desmaiaram com um surto de gargalhadas. A professora então explicou, com orgulho e um brilho intenso nos olhos:

– Deixa estar. É assim mesmo. Há realmente algumas palavras diferentes entre os países que falam português, assim como o sotaque de cada lugar varia muito, mas o que importa é que temos uma língua rica que nos une e nos identifica. Formamos uma grande nação e somamos centenas de milhões de pessoas que se comunicam em português, que já é a quarta língua materna mais falada do planeta.

Logo em seguida, a professora recebeu o repórter e uma equipe completa da TV Timor, para quem deu uma entrevista, contando toda aquela tramoia do Jack Stress. Mais tarde, todos foram dormir. A decolagem fora marcada para a manhã seguinte, quando surgissem os primeiros raios solares. Assim, poderiam voar com mais segurança na longa travessia sobre o maior dos oceanos, o Pacífico. Quando a energia estivesse acabando, teriam de descer em alguma ilha.

Pouco antes de o sol raiar, Mestre Alceu acordou a todos. Tomaram o *matabicho* e partiram para o aeroporto de Díli, caminhando à beira-mar. Os Natos cantavam alegres, apanhando conchas e pulando as pequenas ondas, que vinham a todo instante despertá-los para mais um dia de emoções. Às seis horas decolaram em direção à América.

Começava uma travessia arriscadíssima, porque não sabiam onde desceriam e o que viria pela frente. Ainda teriam dois dias, ou melhor, três, pois ganhariam mais 24 horas por voarem no mesmo sentido de rotação da Terra. Estavam com tempo para cumprir o prazo estabelecido pelos organizadores da disputa e chegar ao final em 16 de março.

Após três horas de voo, receberam uma informação da base na qual não puderam acreditar:

Jack Stress, seguindo o rastro dos Natos, chegara a Díli e já havia encontrado a última mensagem do poeta. Já sabia que Felícia integrara-se ao grupo e havia contado a todos o que ocorrera. Jack Stress, no entanto, rebateu, como era esperado, desmentindo tudo e dizendo que a mestra não estava no seu juízo perfeito, lembrando sempre daquele célebre comunicado na TV. E, mais uma vez, afirmava que venceria a disputa de qualquer jeito!

– Sem a professora! Sem o portulábio! Como continuam encontrando e decifrando as mensagens? – questionou Mano-Loco.

Os mistérios não acabavam e o rival continuava vivo e trapaceando. Entretanto, haveria, afinal, algum espião entre os Natos? Conseguiriam chegar antes de Jack Stress, com seu jato que podia viajar a noite toda? E o tesouro escondido no Brasil, valeria mesmo uma fortuna?

Na imensidão do Pacífico

26

– Mano-Loco, você consegue calcular em que ilha do Pacífico nós deveremos descer? – perguntou Agente E, ao notar, no seu atlas, a vastidão do maior dos oceanos.

– Acho que desceremos em duas ilhas. Faremos uma primeira escala em um atol deserto, com um grande lago interior. A outra escala técnica será na Ilha de Páscoa, onde espero que consigamos ser entendidos.

– Será que Jack Stress vai conseguir percorrer toda essa distância sem fazer uma escalazinha sequer? – questionou Helô.

– Temos de torcer para que ele tenha algum problema e seja obrigado a pousar no meio do caminho.

Sobrevoando o monótono Pacífico, aproveitaram para relembrar as passagens daquela missão pelas terras de língua portuguesa, as trapaças do rival e a trama que estava por trás do desaparecimento de Felícia.

– Que graça tem isso? O Jack Stress usa toda sua força, joga sujo e não podemos fazer nada – protestou Mano-Loco.

– Eu sempre alertei sobre a dificuldade da disputa – interveio Mestre Alceu. – Estamos enfrentando gente poderosa.

– Calma, *fofo*! – consolou-o a professora.

– Não, não me chame assim!

– Por que não? Você é tão fofinho!

Mano-Loco não conseguiu se controlar e de repente começou a entrar em mais um surto.

– Porque-que... gosto de-de uma ga-garota, mas mas... não consigo lhe di-dizer. *Houveram* várias ve-vezes que não conse-segui di-dizer co-como é bom *amar ela, já nela* sonho to-todos os dias.

– E quem é essa garota, Mano-Loco? – perguntou Helô, maliciosa, sorrindo.

– Hummm.

Mestre Alceu não resistiu àquele festival de incorreções e, quebrando mais uma vez o clima entre os dois, declamou:

– Ouviram Mano-Loco, esse saco de cacofonia,
que fala houveram *em vez de* havia.
Para os angolanos ele é um xexé,
é tão trapalhão que, em Moçambique, doidivana ele é!

Mano-Loco, que já estava vermelho com a cantada da garota, ficou mais vermelho ainda com a provocação de Mestre Alceu e revidou, sem perder tempo:

– Ah, este Mestre é um cabra muito engraçado!
Mas à noite ele deixa todo mundo assustado,
pois, quando se deita, o sabichão vira um mastodonte,
com seu ronco, que parece arroto de rinoceronte.

Felícia quase morreu de rir com a animada e bem-humorada disputa de repentistas entre o garoto e o Mestre. Este, não querendo dar muita trela ao jovem, até porque ele já era muito folgado, levantou a mão e, com isso, encerrou o duelo. Aquela brincadeira ajudou a descontrair o grupo, embora por pouco tempo. Não conseguiam se esquecer de Jack Stress. As duas equipes caminhavam quase ao mesmo tempo rumo ao Brasil. Quem encontrasse o tesouro antes e o levasse a Fernando de Noronha até o dia 16 de março às oito horas ganharia A Volta ao Mundo. Se Jack Stress vencesse, daria uma demonstração de força do seu stressês e da sua tese de que a língua portuguesa já não era tão falada pelo mundo. A repercussão seria muito grande.

Por sorte, as condições meteorológicas eram boas e eles cruzaram a Linha Internacional de Data, onde se volta um dia no relógio, e finalmente aterrissaram na Ilha de Páscoa.

Haviam feito as duas escalas sem problemas, sempre decolando pela manhã. No voo final, Ícaro teve de voar bem mais alto para que pudesse passar sobre a Cordilheira dos Andes e seus picos elevados.

Quando se aproximavam do Brasil, Mestre Alceu começou a apertar os botões de comando nervosamente. Depois, acionou os rádios. Uma encrenca surgia no caminho dos Natos:

– Essa não, estamos sem comunicação! – lamentou Mestre Alceu. – Teremos de fazer um voo visual! Só teremos auxilio de uma bússola!

Estrelas no céu do Brasil

27

Mestre Alceu desceu o Ícaro para uma altitude de três mil pés.

– Por ora, o que nos resta é aproveitar a viagem vendo todo esse verde que o Brasil possui – disse Mano-Loco, olhando para seu mapa e acompanhando a rota do avião.

Depois de sobrevoarem o Pantanal e a região do cerrado, puderam apreciar a paisagem mineira por alguns minutos. Helô sentiu um arrepio por estar voando sobre o estado em que vivia. Lembrou de seus pais, de sua irmã e sentiu...

– Saudade, ai quanta saudade da minha gente! – exclamou.

– Saudade, que palavra bonita! Essa é uma das mais belas palavras da nossa língua – suspirou Felícia. – Nenhuma língua conseguiu traduzi-la!

– Eu estou com saudades do Brasil e com muita vontade de detonar aquele safado do Jack Stress! – disse Mano-Loco.

– É, parece que ele tem sete vidas – completou Agente E.

– Jovens, o Jack Stress deve ter o poder das sete trapaças... – disse Mestre Alceu.

Na sua teoria, malandros conseguem trapacear somente sete vezes, depois acabam, de uma forma ou de outra, dando-se mal.

– E quais foram as sete trapaças do Jack Stress? – perguntou Felícia.

– Ele sequestrou a professora, tentou roubar o sino da igreja em Cabo Verde, forjou um golpe de Estado na Guiné-Bissau, sabotou nosso avião em São Tomé e Príncipe, contou com a ajuda de guerrilheiros em Angola, sumiu com o canhão em Moçambique e...

– Para mim, ele trapaceou muito mais. – filosofou Helô.

– E qual foi a sétima trapaça? – perguntou Felícia. – Como ele conseguiu decifrar a última pista sem a minha ajuda e sem o portulábio?

– Só faltava ele ter colocado uma escuta no nosso avião – disse Mestre Alceu.

– Ah, não venha com essa história, não vai colar.

Colar... Colar... Colar... Aquela palavra fez um eco na cabeça de todos. Mano-Loco então pulou em cima do colar que Agente E havia comprado no Timor:

– O colar! Nunca acreditei naquele vendedor no Timor! Aí tem tramoia!

– Deixe-me ver o colar – ordenou Mestre Alceu.

Antes que Mano-Loco arrancasse a peça do seu pescoço, Agente E entregou a suspeita peça de artesanato a Mestre Alceu. O experiente professor manipulou o colar, concha por concha e, ao examinar a pequena estrela vermelha que havia no centro, entre as conchinhas, não teve dúvida:

– Tem um receptor aqui! Ele estava embutido nessa estrelinha vermelha!

– Isso é coisa do Jack Stress! – sentenciou Helô.

– Ele agiu rápido depois daquela confusão em Hong Kong. Seus comparsas no Timor, provavelmente os mesmos que hipnotizaram Felícia, devem ter ajudado!

– Isso mesmo! Ele ouviu tudo o que falamos e deve saber

onde está o tesouro!

– *Crash*! – Mano-Loco deu um murro no colar, estilhaçando a estrelinha e todas as conchinhas. O murro foi tão violento que o Ícaro balançou como se houvesse uma grande turbulência. E havia mesmo: na cabeça dos Natos, que mais uma vez eram trapaceados pelo rival.

Faltava pouco para chegar a Porto Seguro, porém o tempo não passava. Não havia qualquer sinal de aeronave na rota. Somente após demorados minutos é que avistaram, ao longe, o litoral delineado por coqueiros, que anunciava a chegada ao local onde estaria o tesouro deixado pelo poeta Luís de Camões.

– Vamos pousar no Brasil! – gritaram emocionados, depois daquela volta ao mundo, passando por todos os continentes, em países tão diferentes, mas onde se falava o idioma português.

O Ícaro tocou o território brasileiro quando a noite, parcialmente nublada, chegava de mansinho. Sentiam-se mais leves, tamanho foi o alívio por concluírem uma viagem tão longa e tensa, sem comunicação. O avião desceu em uma pista de terra ao lado da praia da Coroa Vermelha. Os Natos engoliram em seco quando viram, estacionada diante da praia, uma limusine preta com os dizeres: S.S.S.

– O *aldrabão* chegou antes! – gritaram em coro, ainda que não estivessem tão surpresos.

– Mano-Loco, acho que teremos que usar mais uma vez o seu gás da doideira! – disse Agente E.

– Lamento, mas usei todo o repolho podre para produzir o gás que enviei na mensagem. Achei que ali acabaríamos, de uma vez por todas, com a pose do Jack Stress.

A tensão era grande. Tinham ficado novamente para trás. Na praia, puderam ver um grupo de pessoas no local indicado pelo poeta, onde fora rezada a segunda missa no Brasil. Ali deveria estar o tesouro. A escuridão impedia que conseguissem ver com detalhes o que estava acontecendo. Todavia, à medida que se aproximavam, a apreensão foi se transformando em desespero.

Dezenas de curiosos se acotovelavam para assistir a uma cena que faria os Natos caírem para trás. Jack Stress, em meio a uma pequena multidão, iluminado por um holofote, comandava seus Stress Boys, que abriam rapidamente um buraco na areia. Em poucos minutos, o objeto do desejo dos dois grupos surgiu ali diante de todos – uma velha arca feita de madeira e de ferro, já corroído pelo tempo.

Ao notar a presença dos seus adversários, Jack Stress deu uma risada debochada. Sua expressão era de vitória. Provara que sua esperteza sem limites valera a pena! Para provocar os Natos, o empresário deu mais algumas dicas do que fizera para encontrar a mensagem que o levou ao tesouro.

– Internet! – exclamou, dando uma sonora gargalhada, sendo seguido pelos Stress Boys.

– Mundo *hi-tech*! – vociferou S3.

– Amigos em Timor, OK! – gritou S1.

– O artesanato de lá é *fashion*, não?! – completou S2

E, ao carregarem a arca para uma lancha que os aguardava, os Stress Boys ainda acenaram para a equipe dos Natos:

– *Bye, bye* – gritavam em coro, sem parar. O som das vozes diminuía lentamente, assim como todas as esperanças dos Natos.

Não podiam acreditar. Nos olhos esbugalhados, misturavam-se sentimentos de fracasso e de revolta. Aquele vendedor no Timor! A internet! Jack Stress havia feito um pouco de tudo: a professora hipnotizada, mensagens interceptadas, espionagem e, podendo viajar à noite, chegara antes ao tesouro do poeta. A língua portuguesa, a "magia" do portulábio e a natureza os ajudaram bastante, no entanto, por causa de tantas trapaças dos defensores do stressês, estavam perdendo a disputa.

Jack Stress chegaria certamente antes do horário estipulado, às oito horas do dia seguinte, 16 de março, e comprovaria a tese dele de que o português não era mais tão falado no mundo, pois sequer nos países e nos territórios onde ele tinha sido usado um dia não lhe davam mais tanta importância. Ele, com o stressês, saiu-se melhor. Seria um desastre. Jack Stress faria uma grande divulgação da vitória da nova língua. Com o tempo, o seu stressês ganharia espaço, envolveria muita gente inocente, que acabaria achando que aquela língua realmente pudesse ser útil. Com tanta propaganda, tanto poder, tanto dinheiro, ele conseguiria disseminar o stressês, que aos poucos iria corroer a língua portuguesa. Ah, quanto dinheiro aquilo representava... Uma invasão cultural! Jack Stress e seus sócios venderiam mui-

to, venderiam milhões de dicionários e livros.

No entanto, afinal, o que o poeta queria dizer com tudo aquilo? Por que os levara para aquela verdadeira gincana? Dar a volta ao mundo para encontrar uma arca com moedas, joias e objetos de ouro? O código de Camões escondia mais alguma coisa?

O desânimo fez com que ficassem ali imóveis, ao relento. Ninguém conseguia dizer uma palavra sequer. Não podiam provar nada contra o desonesto concorrente. A noite já se acomodara e o luar, parcialmente encoberto pelas nuvens, iluminava fracamente os semblantes dos Natos, onde se via apenas a desolação pela derrota: à meia-luz, eles enfrentariam uma triste espera até o nascer do sol.

Como o sono não vinha, Mano-Loco começou a andar de um lado para o outro. O garoto não conseguia se conformar com tanta sujeira e com tanta injustiça. Caminhou até o mar e encontrou Helô, que, sentada à beira d'água, parecia não se importar

com as pequenas ondas que molhavam sua calça de algodão. A menina estava em lágrimas. O companheiro sentou ao seu lado e colocou o braço sobre seu ombro. Trocaram olhares sem, no entanto, dizerem uma só palavra. O Nato olhou para o céu, como se quisesse mostrar seu desapontamento com o poeta.

Mano-Loco respirou fundo e, de repente, começou a se sentir leve e, sem se dar conta, encostou sua cabeça na de Helô. Como em um passe de mágica, eles haviam esquecido todos os problemas e todo o insucesso daquela longa jornada. O menino virou o rosto e, lentamente, aproximou-se de Helô. Os lábios dos dois se uniram em um longo e apaixonado beijo. Um beijo que fez aflorar um sentimento que há tanto tempo era demonstrado pelos dois, mas que estava bloqueado pela timidez do garoto.

Enamorados, voltaram-se para o mar. Para o mesmo mar que Camões navegara, carregando todos os seus sonhos. No céu, então, uma constelação de brilho intenso chamou a atenção da dupla. Era como se o poeta acenasse para Helô e Mano-Loco, abençoando aquele namoro e querendo dizer algo...

Helô, emocionada, gritou:

– Veja, que lindo! É o Cruzeiro do...

A grande revelação de Camões

28

– SUL! – completou Mano-Loco. – Na última mensagem, o poeta escreveu "Da primeira cruz, dez passos rumo ao Austro darás". Austro vem de austral e não de Áustria! E austral não significa norte, austral significa sul!

– Isso mesmo, meu louquinho! – disse Helô, emocionada. – Nós procuramos o tesouro no lugar errado! O tesouro de Camões está na direção oposta!

O rebuliço chamou a atenção dos companheiros, despertando Mestre Alceu, Felícia e Agente E. Mano-Loco berrava, não conseguia parar de gritar. Helô dava pulinhos de alegria.

– Mas como? – indagou Felícia, esfregando os olhos, ainda incrédula a respeito do que acabara de ouvir.

– Vocês devem estar enganados – disse Agente E, bocejando. – O Jack Stress já encontrou a arca. Não há dois tesouros!

– Você não muda mesmo, continua um louco! – completou Mestre Alceu.

– Meus amigos, Jack Stress pegou o tesouro errado. Deve haver outro. Não soubemos decifrar a mensagem do poeta.

– Cometemos um erro e aquele receptor embutido no colar transmitiu nossa dedução equivocada para o Jack Stress, que, bem feito, foi atrás! – completou Helô.

Diante do entusiasmo e da segurança com que Mano-Loco e Helô falavam, todos se levantaram. O grupo dirigiu-se ao ponto exato onde fora colocada a cruz, na segunda missa.

A praia estava deserta. Dali, o menino calculou exatamente a direção sul. Deu dez passos grandes.

– É aqui! Tem de ser aqui! – disse, apontando com o pé.

Mano-Loco, então, começou a abrir um buraco com as mãos, trabalhando rápido como uma escavadeira. Helô, Mestre Alceu, Felícia e Agente E o acompanharam. Após algum tempo, eles viram um pedaço de madeira despontar no meio da areia.

– Acho que é a arca! – gritou Mano-Loco.

Aceleraram o ritmo da escavação até que, diante dos olhos deles, surgiu uma arca de madeira.

– O tesouro! Este deve ser o verdadeiro tesouro! – bradou Mano-Loco, eufórico.

– Mas por que o poeta faria isso? O que ele queria provar? – perguntou Felícia.

– Pode ter sido uma armadilha deixada por Camões – concluiu Mestre Alceu. – É preciso entender bem a nossa língua, não é verdade!?

Continuaram a tirar a areia ao redor da arca até que, finalmente, conseguiram puxá-la por inteiro.

– Nossa! Como está leve! – estranhou Mestre Alceu.

– Droga! Não há nada aí dentro! – exclamou Mano-Loco, desanimado.

A arca era idêntica àquela que os Stress Boys haviam levado. No entanto, estava tão leve que não mostrava nenhum indício de que pudesse haver algo valioso no seu interior. Os Natos voltaram a ficar preocupados.

Mestre Alceu olhou o relógio.

– São pouco mais de cinco horas da manhã – disse o professor. – Apesar de Fernando de Noronha ter um fuso horário diferente, já que lá agora é uma hora mais tarde, ainda temos tempo de chegar à ilha no prazo da disputa. Temos duas horas. Não podemos perder um segundo. Vamos esclarecer esse mistério com a chave que o poeta deixou junto com a carta.

Correram para o Ícaro e logo estavam a bordo, com os cintos afivelados. Em menos de quinze minutos, abastecido pelos primeiros raios de sol, o avião sobrevoava o mar rumo à ilha para completar A Volta ao Mundo, sem rádio e sem satélite. Desconectado do mundo, o avião era um fantasma nos céus do Brasil. Ninguém sabia do seu paradeiro.

Eram sete horas e cinquenta e cinco minutos quando avistaram um pico, que era como um farol para os aviadores, anunciando a chegada à ilha.

– Fernando de Noronha! Completamos A Volta ao Mundo!

Uma mistura de emoção e apreensão movia o grupo. Depois de uma volta completa pelo planeta, passando pela Europa, África, Ásia, Oceania, cruzando o imenso Oceano Pacífico e a Cordilheira dos Andes no continente americano. Após tantos sustos, tantas trapaças dos rivais, ali estavam eles, preparando a aterrissagem final.

Mestre Alceu acionou os comandos para a descida e aproximou o avião da pista de pouso. Uma grande multidão se encontrava no campo de pouso. Havia muitos aviões e helicópteros e muita gente cercava um jato: o Adamastor de Jack Stress.

Às oito horas em ponto, o avião movido a energia solar tocava o solo da ilha e, por fim, completava sua volta ao mundo. O prazo, felizmente, foi cumprido. A equipe dos Natos demonstrou mais uma vez ser um símbolo de determinação e espírito de luta.

Ícaro parou diante da multidão, ao lado do Adamastor. Mano-Loco, Helô, Mestre Alceu, Felícia e Agente E desceram do avião. Luzia e Tobi, já curado, foram ao encontro dos companheiros e, depois de abraçá-los, fizeram questão de ajudar a carregar a arca. Nas mãos dos Natos, a arca surpreendeu as centenas de pessoas que ali estavam: autoridades, jornalistas, soldados e pescadores.

– Outra arca! – todos gritaram.

Jack Stress, irritado, chutava a arca que havia encontrado. É que ele não conseguiu abri-la com a chave deixada pelo poeta. Então, em um ato de desespero, o megaempresário arrebentou a tiros a fechadura daquela grande arca de madeira. Ao abri-la, todos viram que lá dentro só havia areia e pedras! Nada que pudesse ser considerado um tesouro. O comandante, que desafiara a língua pátria dos Natos e que tanto trapaceara para tentar provar a decadência do idioma nacional, revoltado, gritou em alto e bom português:

– Que tesouro é esse? Isso é uma brincadeira!

Mano-Loco não se conteve e anunciou em tom solene, aproveitando-se para esculhambar o inescrupuloso adversário:

– Jack, *I speak a fluent English*, eu falo inglês fluentemente, e quando necessário uso abreviações, mas jamais vou deixar que alguém mate a nossa língua. Você trapaceou o tempo todo, mas nada é mais forte do que a língua portuguesa.

E, com ares triunfais, gritou:

– Eis aqui a nossa arca!

A arca encontrada pelo grupo dos Natos foi colocada diante dos organizadores. O ministro Freitas pegou a chave e a introduziu no buraco da fechadura.

Mais de quatrocentos anos estavam encerrados ali dentro. O que o poeta teria guardado ali de tão valioso? Que coisa assim tão leve poderia ser de tal importância?

A chave girou, girou, bem devagarinho e, de repente, parou. Travou. Não girava mais. Mano-Loco insistiu, tirou-a, recolocou-a e nada. A chave também não abria a arca encontrada pelos Natos! Todos eles, até então de peito empinado, perderam a pose.

"E agora, só um milagre para nos tirar dessa. Só uma magia." – pensou Mano-Loco.

– O caminho está cada vez mais em suas mãos! – disse Helô, lembrando-se de uma das últimas mensagens de Camões.

– O portulábio! – gritou Mano-Loco. – Agente E, o portulábio está nas nossas mãos. Ele vai nos levar ao caminho final!

Agente E sequer teve tempo de pegar a peça mágica. Mano-Loco arrancou-a do seu bolso e encaixou a ponta da ilha do Timor, ou melhor, do portulábio, na fechadura. Ele então girou a peça devagarinho, devagarinho, até que...

Clic!

O barulho do cadeado sendo aberto deixou todos em silêncio. O portulábio, a ilha do Timor, era a chave para abrir a arca. Quem poderia imaginar que aquela peça tivesse tanta importância, tanto poder? Contudo, de uma vez por todas, o que o poeta realmente queria dizer com tudo aquilo? O quê?

A tampa foi levantada e, no seu interior, não havia nenhum objeto. Foi encontrada uma simples carta.

Helô pegou-a e a entregou ao ministro. Os Natos juntaram-se a ele e, segurando a folha de papel, meio rasgada e já amarelada pelo tempo, leram em voz alta uma mensagem do poeta:

Para vós, que encontrastes esta carta, ao dar uma volta ao mundo e passado por dez terras onde se fala minha língua pátria, revelo aqui o valor do verdadeiro tesouro, que agora havereis de descobrir...

Cá estou no meu leito de morte. Já quase não tenho forças para escrever, e estas talvez sejam as minhas últimas palavras. Soube que as tropas espanholas invadiram o território português e, por um momento, tive a sensação de estar a morrer com minha pátria. Mas será mesmo que Portugal morrerá e com ele morrerei também?

Não. Nos momentos derradeiros da minha vida, descobri algo que todas as batalhas por este mundo ainda não me haviam revelado. Em busca de fama e fortuna, cruzei os oceanos e conheci terras longínquas. Com a espada e a pena, a vida sempre enfrentei. Mas, afinal, o que descobri de tão importante? Qual é o meu tesouro? Qual é a recompensa que recebi e agora deixo para vós, que seguistes pelo mundo a decifrar minhas mensagens? O que meu código escondia?

Ah, usastes também o portulábio, um instrumento que certamente ajudou-vos a completar esta jornada. Todavia, será mesmo o portulábio um instrumento mágico?

Pois agora eu vos revelo o que todos desejam saber: a magia da vida está na nossa capacidade de acreditar em nossos sonhos e correr atrás deles. Se o portulábio ajudou-vos a chegar até aqui, é porque acreditastes no vosso sonho e, com isso, pudestes encontrar o tesouro. E este tesouro é a língua portuguesa, que está sempre pulsando nas escritas e nas falas, em um código que podemos decifrar e, com isso, apreciar todos os ricos segredos que ela guarda. Nada nem ninguém poderão derrotar a língua portuguesa. Assim, se conseguistes encontrar esse tesouro, é porque destes a volta ao mundo e sentistes que nosso idioma, o português, continua forte e, por meio dele, nós estaremos sempre vivos.

Lisboa, 10 de junho de 1580.

Os Natos festejaram sua grande conquista e foram aclamados pelos presentes, brasileiros, portugueses e gente dos mais remotos lugares. Haviam encontrado o tesouro que era, na realidade, a língua portuguesa. Nada como uma viagem ao redor do mundo para provar, para todos que duvidassem, que o português, o idioma nacional, estava mais vivo e importante do que nunca. Com toda a sua riqueza e diversidade, presentes em tantas terras, ele pulsava, transformando-se a cada dia para que cada vez mais pessoas possam decifrar o seu fantástico código.

MAPA DE CAMÕES

Luís Vaz de Camões

(*) A Guiné Equatorial adotou o português como língua oficial em 2010.

Ásia
China
Índia
Hong Kong
Macau
Goa
Sri Lanka
Indonésia
Moçambique
Timor-Leste
Oceano Pacífico
Oceano Índico
Oceania
Austrália

Glossário

50% OFF: 50% de desconto

Aldrabão: vigarista

A.S.A.P. – As Soon As Possible: assim que possível

Aselha: desastrado(a)

Aterragem: aterrissagem

Bué louco: muito louco

Carrinha: perua

CEO: Canalha-Encarregado--Operacional

Comboio elétrico: trem elétrico

Condicionado: congestionado

Cool: legal

Desconseguir: não conseguir

DSI: Demissão Sumária de Imbecis

El está bébéque: ele está apaixonado

F.Y.I. – For Your Information: para sua informação

Fitness center: academia de ginástica

Fixe: legal

Gajo: cara

Game over: fim de jogo

Giro: legal

GOM – General Official Meeting: reunião geral e oficial

Help: ajuda

IAE: Informação Absolutamente Errada

I speak a fluent English: eu falo inglês fluentemente

JEM – Job Especial de Mercado: trabalho de pesquisa

JSFT: Já Sabia Faz Tempo

Ladies and gentlemen: Senhoras e senhores

Lambe-botas: bajulador

Mandrião: preguiçoso

Miúdo: garoto

MIVP: Moleques Imbecis Vão Perder

Money: dinheiro

Mr./Mister: Senhor

Out: fora

Parvo: tolo

Passeio: calçada

Personal trainer: treinador particular

Power: poder

Puto: menino

Rapariga: moça

Ready: pronto

Sale: promoção, liquidação

S.C. – Special Client: cliente especial

S.G. – Stupid Guys: garotos estúpidos

Sit down: sente(m)-se

Sítio: lugar

Sorry: desculpe

S.P.T.: Sem Perder Tempo

Start-up: lançamento

Tuga: português(a)

Telemóvel: celular

Test drive: teste de direção

Upgrading: promoção (de cargo ou serviço)

VC: você

Very bad: muito mal

VGB – Very Good Boy: muito bom, garoto!

VIP – Very Important Person: pessoa famosa, figura pública

Worldwide: mundial, universal

Agradecimentos

Após muitas viagens pelo mundo, não poderia deixar de, neste pequeno espaço, dar mais uma volta pelo globo para agradecer a todos aqueles que colaboraram, com muito carinho, no desenvolvimento desta obra.

Para começar, dou um pulo em Portugal, onde Ana Luisa, Lelo e Vito estiveram sempre por perto. Depois, sigo para a África, sobre a qual Domingos Ramos, conhecedor profundo de Angola, e Agostinho Pinto, da Ilha de Moçambique, deram contribuições decisivas. O Embaixador de Cabo Verde no Brasil, e Jorge Jesus, do Ministério da Cultura de São Tomé e Príncipe, também foram parceiros, atendendo rapidamente às solicitações. Constantino Xavier, da Casa de Goa, e Delfim Correia da Silva, da Universidade de Goa; e Rogério Passos, da Casa de Macau, também fizeram considerações importantes para o engrandecimento desta história. No Timor-Leste, Luciana Mancini, então assistente do nosso saudoso Embaixador Sérgio Vieira de Mello, procurou ajeitar da melhor forma minha viagem para aquele país.

Nos Estados Unidos, Ana Trinidad e Stuart Hindle abriram os arquivos da Aerovironment e responderam a todas as questões sobre o primeiro avião movido a energia solar, permitindo que eu desenvolvesse uma história verossímil também nas questões mais científicas. Em Hong Kong, Johnny Chen, amigo de sempre, respondeu a todas as minhas indagações sobre essas terras do outro lado do mundo.

Por fim, gostaria de registrar o incentivo decisivo de Elina Guimarães, minha avó, que faleceu aos 100 anos de idade.

A todos, um abraço e minha profunda gratidão.

Beto Junqueyra

Beto Junqueyra, autor desta obra, cresceu entre as fazendas de Minas Gerais, as vilas do norte de Portugal e os livros de Monteiro Lobato e Jules Verne. Aos 9 anos, escrevia contos e, após viagens para várias partes do mundo, ganhou muita inspiração para escrever e adaptar narrativas de aventura. Travou contato com culturas distintas ao visitar países e territórios como Portugal, Índia (esteve em Goa, pequeno território que fazia parte do antigo Império Português) e Macau (antiga colônia portuguesa, devolvida à China na virada do século, mas que ainda mantém o português como língua oficial). Ao mesmo tempo, o autor travou contato com gente de todos esses cantos do mundo onde se fala português. Seu texto foi referendado por nativos como, entre outros, o ministro da Cultura de São Tomé e Príncipe e Luciana Mancini, assistente direta do diplomata brasileiro Sérgio Vieira de Mello, que liderou a missão da ONU no processo de independência do Timor-Leste. Assim como Jules Verne frequentava clubes e entidades de Ciências e Geografia, Beto Junqueyra "criou" o hidroavião movido a energia solar tripulado pelos Natos, com subsídios da Aerovironment, empresa norte-americana que projetou o primeiro avião movido a energia solar. Entre suas obras, destacam-se *Deu a louca no mundo*, *Pintou sujeira!*, *Ecopiratas em Fernando de Noronha*, *Uma luz na ilha Escura* e *Quem tem boca vai ao Timor*.

Bruno Ferraz, ilustrador desta obra, é graduado em Desenho Industrial pela Escola de Belas Artes – UFRJ e Mestre em Engenharia de Sistemas e Computação/Computação Gráfica. Atua na área de desenvolvimento de narrativas visuais em diversos segmentos como jogos, animação e ilustração. Tem vasta experiência em criação de *storyboard* de filmes animados e gerenciamento de projetos multimídia. *Retornável*, filme de sua produção e direção, recebeu o prêmio Animamulti 2015 (Júri Popular) do Anima Mundi e os troféus Green Nation 2016 (Júri oficial e popular).

Este livro é composto em
Freight Text Pro e Freight
Sans Pro.